村上 伸
MURAKAMI, Hiroshi

# ヨハネの黙示録を読もう

日本キリスト教団出版局

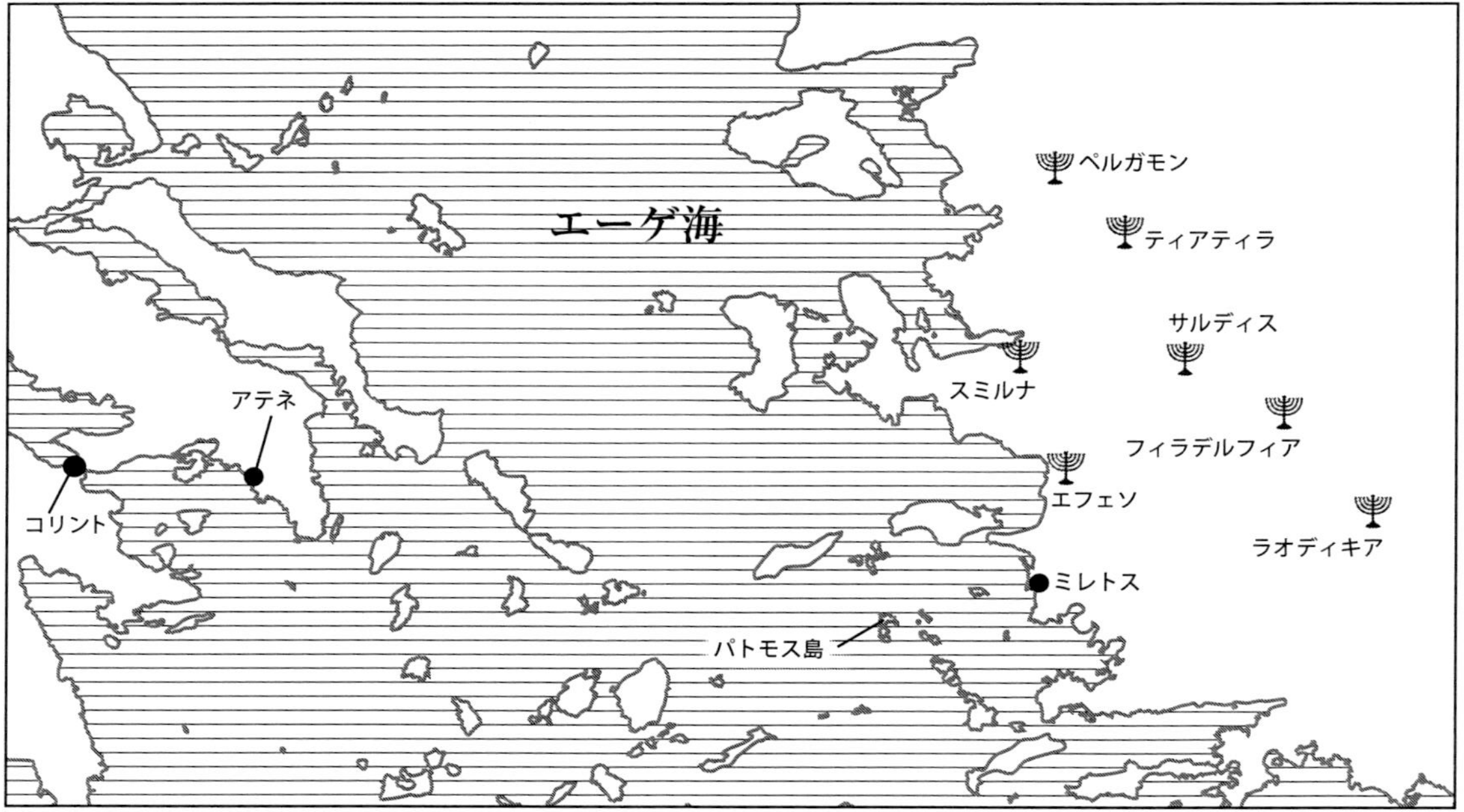
ペルガモン
エーゲ海
ティアテイラ
サルディス
スミルナ
アテネ
フィラデルフィア
コリント
エフェソ
ラオディキア
ミレトス
パトモス島

ヨハネの黙示録の世界

# はじめに

私は、三年ほど前から体調を崩したこともあって、妻と二人で岐阜県池田町にある「介護付き高齢者住宅」に転居することにした。そこで療養に努めながら懸案であった何冊かの本を書き上げたいと思ったのである。

幸い、多くの同信の友の祈りに支えられて、次の三冊を完成させることができた。『ボンヘッファー紀行』（二〇一二年五月、新教出版社）、『良き力に守られて』（二〇一三年四月、日本キリスト教団出版局）、及び『ボンヘッファー獄中書簡集・増補完訳版』（新教出版社から近く出版の予定）である。

しかし、教会の仲間たちは、なかなか私を解放してくれない。そして、『ヨハネ黙示録による説教集』をまとめないか、という次の計画を持ち出した。もし、それが「新しく書き下ろす」という意味であったならば、私は断固断わったであろう。私の体調は、既にそのようなハードワークには耐えられそうもなかったからである。

だが、念のために、私は代々木上原教会のホームページを開いてみた。するとそこには、二〇〇二年二月から二〇〇三年十月までの間に私が行った四十五編の連続講解説教が保存されていた。主題はヨハネ黙示録である！

それらを一つ一つ入念にチェックしたところ、保存状態は良好であることが分かった。内容もさして古びてはいない。多少手を加えれば、直ぐにでも印刷に回せるであろう。こういう場合、ドイツ人はよく“druckreif”と言う。“druck”（印刷）に回せるほど“reif”（成熟した）という意味である。それに勇気づけられた私は、二〇一三年十一月頃からこの説教集をまとめる仕事に取りかかった。

ところで、教団出版局には、「まだ存命中の牧師の説教集は出さない」という暗黙の了解、もしくは基本原則があるという。この点を考慮した編集部は、《説教集》の代わりに《黙想集》という名称を提案してきた。ボンヘッファーの言う“Meditationen”であろう。むろん、これにも異論はない。

こうした経緯があって、この本では「黙想一編につき四頁」のスペースが割り当てられることになった。通常の説教集よりもややコンパクトである。

だが、編集部案には、それ以上に重要な提案も含まれていた。――何年か前に語られた説教をテープから単に《起こす》だけでは十分ではない、現代世界に生きる読者のために、各自が《現代の精神状況を黙示録的に読み解く》際に役立つような文章を求めたい、というのである。まことにもっともな注文であって、私は可能な限りこの求めに応えようと努めた。

だが、一体、《現代の精神状況》なるものを、私はどのように捉えているのであろうか？　先ず、その点を明らかにする必要があろう。

実はこの間、私の心に強く焼き付いていたのは、現代世界における《暴力の連鎖》という問題であった。それは、《自爆テロ》というおぞましい形で繰り返される。その典型的な発現は、たとえば、二〇〇一年九月十一日にニューヨークで起こった同時多発テロ事件であったろう。

世界経済の中心とも言うべきマンハッタンで、乗客を満載したまま乗っ取られた二機のジャンボ機が、「世界貿易センター」の二棟の超高層ビルにほとんど同時に突っ込んだのである。市民が絶望的な悲鳴を上げる中、それらの壮麗な建物は相次いで崩れ落ち、そして、跡形もなく壊滅した。しかも、この事件は始めから終わりまでテレビで全世界に同時配信され、すべての現代人の心に強烈な印象を刻みつけたのであった。

翌年の二月から、私は代々木上原教会でヨハネ黙示録をテキストとする連続講解説教を始めたが、そのとき、絶えず私の心の中で点滅していたのは、ニューヨークの《黙示録的》な光景であった。

だが、現代の《黙示録的な状況》をよく示しているのは、上記のようなテロ事件だけではない。地球規模における気候変動や、それと関連して起こるさまざまな自然災害も、除外するわけには行かないであろう。実際、ヨハネ黙示録には、自然災害の詳細な描写が繰り返し現れるのである。

二〇〇四年十二月二十六日にインドネシアのスマトラ島沖でマグニチュード九・一の大地震が起こった。それによって惹き起こされた大津波は、実に最高三十四メートルの高さにまで達した。この震災は、震源地インドネシアだけでなく、周辺諸国（シンガポール、マレーシア、タイ、ミャンマー、バングラデシュ、パキスタン、インド、スリランカなど）に甚大な被害を与えた。津波はインド洋を渡って遥かアフリカ東岸の諸国にまで達し、これによる死者の総計はこの地域全体で二十二万人、負傷者の数は十三万人に及んだ。世界は震撼《しんかん》させられた。この災厄を想起するとき、人々は黙示録の叙述を連想せずにはいられなかったはずである。

二〇一一年三月十一日十四時四十六分に、わが国東北地方の太平洋岸一帯を襲った東日本大震災（マグニチュード九・〇）の場合も、同じことが言えよう。大地震とそれに伴う大津波は、一万八千五百十七人の死者・行方不明者を出し、家屋の全半壊は三十九万九千四百戸余に及んだ。震災関連死（体調悪化、自死など）は福島・宮城・岩手の三県で二千九百七十三人に及ぶ。

それだけではない。東京電力福島第一原子力発電所では一号機から三号機までが全電源を喪失、水素爆発によって建屋が崩壊したばかりか、炉心溶融（メルトダウン）という、チェルノブイリ級の重大事故につながった。

この原発事故が日本と周辺諸国に与えた肉体的・精神的・社会的ダメージは計り知れない。震災後三年が経過しようというのに、被災地は未だに立ち直れないほどの被害を受けたのである。

スマトラ島沖大地震も東日本大震災も、気候変動などの直接的な原因によって惹き起こされたとは単純には言えまい。この点については、科学者たちも慎重である。だが、その規模の大きさと、それが与える影響の深刻さを見るとき、人は黙示録の叙述を連想せずにはいられない。

ヨハネ黙示録第8章には、次のような記事がある。

第三の天使がラッパを吹いた。すると、松明のように燃えている大きな星が、天から落ちて来て、川という川の三分の一と、その水源の上に落ちた。この星の名は「苦よもぎ」といい、水の三分の一が苦よもぎのように苦くなって、そのために多くの人が死んだ。（10―11）

一九八六年四月二十六日に、旧・ソ連（現在はウクライナ）の「チェルノブイリ原子力発電所」で、四号炉が大爆発を起こした。大気中に飛び散った放射性物質はヨーロッパ各地に拡散し、特に小さな子供たちに多くの深刻な健康被害をもたらした。

その際、多くの思想家が、このチェルノブイリ原発事故とヨハネ黙示録の叙述の間にある意味深い暗合に目を留めたことが知られている。実際、ヨーロッパのある文学者が指摘したように、「苦よもぎ」はロシア語では「チェルノブイリ」というのである。この指摘を単なる「こじつけ」として片付けることは許されないのではないか？

我々は、ヨハネ黙示録の叙述が持つ全宇宙的な射程に注目しなければならないであろう。そのとき、現代の精神状況を黙示録的に読み解くことも可能となるのではないだろうか。

ヨハネの黙示録を読もう　**目次**

## 第2部

## 第3部

装丁　桂川　潤　　カット　今橋　朗
装画　パウル・クレー《ポリフォニーに囲まれた白》1930年

* 本書の聖書書名および章節の箇所の表記は、『聖書 新共同訳』（日本聖書協会）によった。断りのない引用は新共同訳による。
* 小河訳は、小河陽訳（『新約聖書』岩波書店）から引用した。
* 佐竹訳は、佐竹明著『ヨハネの黙示録』（全3巻、現代新約注解全書、新教出版社）から引用した。
* 各部の扉頁で示したヨハネの黙示録の構成は、『新共同訳 新約聖書注解Ⅱ』（日本キリスト教団出版局）四八四―四八五頁を参照した。

# 第1部

預言・手紙の序文と挨拶　第1章1―8節

七つの教会に宛てた手紙　第1章9節―第3章22節

A　天上界のキリスト像　1：9―20
B　七つの教会に宛てた手紙　2：1―3：22

# 1　過去も将来も主のもの

1・1―8

著者は自らヨハネと名乗っている（1）。これはよくある名前だが、『ヨハネ福音書』や『ヨハネ書簡』の著者とは関係ない。自己紹介によると、この人物は「パトモスと呼ばれる島」（9）に幽閉されていた。紀元九五年頃のことと思われる。当時のローマ皇帝は有名なドミティアヌスであって、キリスト教がこの皇帝の下で厳しい迫害を受けたことは広く知られている。

パトモス島に流されたヨハネは、ある日曜日に幻を見た。それに触発されて、ローマ帝国の属州である「アジア州」（現在のトルコ西部）にある七つの教会に激励の手紙を書き送るところから、この文書は始まっている。

私はここで、『ヨハネ黙示録』は迫害の下で書かれた文書であるということを強調しておきたい。これが、この不思議な文書を理解する鍵である。

苦しみの中にある時、人の精神は純化される。

私はかつてある手術のためにしばらく入院していて、そのことを改めて感じた。重い病気で苦しんでいる人々に比べれば「苦しみ」とは言えないくらいの小さな経験に過ぎなかったが、それでも、そう思ったのだ。毎日、恥ずかしい姿勢を取らされて傷口のガーゼを交換してもらう。この作業は、思わず「うめく」ほど痛い。終わった後、毎日のように、「ああ、今日も一仕事終わった」と言って看護師さんに笑われたが、そんな時、クリスチャンである主治医の先生が、「教会の皆さんが祈っていてくださいますよ」と言ってくれた。私は、まるで子供のように素直な、澄み切った心でその言葉を聞くことができた。

迫害に遭って流刑に処されたヨハネの精神も、純化されていたに違いない。精神が純化されるということは、あることをひたむきに見つめ、それに向かって精神を集中するということであろう。ヨハネの精神は純化されて、主イエスに集中した。「イエス・キリストの黙示」(1)という一句が冒頭に置かれていることが、そのことを端的に表している。

「黙示」とは、ギリシア語で「アポカリュプシス」である。「覆っているカバーを取り除ける」という意味だ。だから「イエス・キリストの黙示」とは、隠されている真実が主イエスによって余すところなく明らかにされた、ということである。「イエス・キリストの証し」(2)とか、「預言の言葉」(3)という言い方も、すべてこのことにつながる。そしてそのイエスは、「わたしたちを愛し、御自分の血によって罪から解放してくださった方」、「死者の中から最初に復活した方」(5)に他ならない。

苦しみの中にいる人を救うことができるのは、同じように、あるいはもっと深く苦しんで、しかもその苦しみを乗り越えた方だけだ。ヨハネの精神は今や純化されて、この苦難と復活の主イエスに向かう。

ちょうど、強制連行されてアメリカで奴隷労働をさせられたアフリカの人々が、あの苦しみの中で、"Nobody knows the troubles I've seen, nobody knows but Jesus"（私の経験した苦しみは誰にも分からない、イエスのほかには誰にも分からない）と歌ったように、ヨハネはイエスをひたむきに見上げる。そしてこの方のことを、同じように迫害を受けているすべての信徒に証しし（2）、この方から「恵みと平和が」来るように祈る（5）のである。

「今おられ、かつておられ、やがて来られる方、全能者がこう言われる。『わたしはアルファであり、オメガである。』」（8）というのも、迫害の下で苦しい生活を強いられている人々に向かって語られた言葉である。同じ言葉は4節にも出てきた。苦難と復活の主イエスが今、苦しんでいるあなたがたと共にいる、というのである。

ここでヨハネは、恐らく出エジプト記3章の記事を思い起こしていたのではないか。モーセがホレブの山で神に召され、エジプトで苦しんでいる同胞を救うために派遣されるときの話である。自分を派遣された神の名を人々に聞かれたら何と答えたらよいか、と彼は問うたのだ（出エジプト記3・13）。

すると神は答えた。「わたしはある。わたしはあるという者だ」。文語訳では、「有《あり》て在る者なり」となっていた。古来、この言葉は様々に解釈されたが、よく分からない。

だが、マルチン・ブーバーは「私はそこにいるだろう」と訳した。これが一番良いのではないか。あなたが苦しんでいる所、そこに私もいるだろう。あなたがうめいている所、涙を流している所、神も仏もあるものかと嘆いている所、そこに私もいるだろう。どのような所にも、私はいるだろう。私が共にいないような所は、この宇宙にはないだろう（詩編139・7―10）。あなたの過去、あなたの現在、あなたの将来、すべては神の恵みの下にある。

ヨハネが言いたかったのは、このことなのである。

## 2　右手をわたしの上に置いて　1・9―20

この箇所の最初で、ヨハネはアジア州の各地で迫害に耐えている信徒たちに向かって、自分は「あなたがたの兄弟である」と言い、「共にイエスと結ばれて、その苦難、支配、忍耐にあずかっている」（9）者だ、と自己紹介する。小河陽訳では、「イエス・キリストのうちにあって、患難と王国と忍耐とをあなたたちと共にわかち合っている」である。この方が心に響く。

「患難と王国と忍耐とをあなたたちと共にわかち合う」。これは、主イエスを信じる者たちの深い連帯を表明する言葉である。私とあなたたちとは主イエスのために同じ苦しみを経験している。「王国」、つまり主イエスが約束された「神の支配が近い」という希望も、そのための忍耐も共有している。

この苦しみと希望と忍耐の共有！　主イエスを信じる者たちの間には、本来、このような連帯がなければならない。かつて世界の諸教会が、人種差別（アパルトヘイト）と戦う南アフリカ共和国の教会に対して、あるいは民主化のための苦しみを担う韓国の教会に対して連帯を表明したように、我々は主イエスのゆえに苦しむ世界各地の信徒たちとの連帯を表明し、彼らのために祈らねばならない。

ヨハネは今、「神の言葉とイエスの証しのゆえに」(9後半)パトモス島にいる。小河訳によって少し言葉を補うと、「神の言葉〔を伝え、〕またイエス・キリストについて証言〔した〕ために」パトモス島に「島流し」にされたのである。そこで各地の信徒たちとの連帯を表明し、祈った。この島は、ミレトス沖に点在する群島の一つで、周囲九五キロほどの火山島だ。ローマ帝国はここを政治犯の流刑地としていたのであった。

このヨハネが、「主の日」、つまり、日曜日の礼拝の時に「〝霊〟に満たされて」いた(10)。預言者にはよく起こることだが、一種の恍惚状態である。その中で、彼は「ラッパの響きのような大声」が、「お前が見るものを小巻物に書きとって」(11)七つの教会に送れ、と言うのを聞いた。続いて彼は幻を見るのだが、それは「ダニエル書」など後期ユダヤ教黙示文学の伝統に従って叙述される。色彩と音響に富んだ、不思議な幻想風景である。

一つ一つの叙述には意味がある。たとえば、「七つの金の燭台」(12)とは、今挙げられた七つの教会のことだ。それら七つの教会の中央に、「人の子のような者」(13)が立っている。その方の姿について、独特な描写が16節まで続く。これが「ダニエル書」の記述から影響を受けていることは、疑いの余地がない。

「人の子のような者」という言い方は、ダニエル書7章13節から来たものだろう。その他の叙述も、

「その衣は雪のように白く、その白髪は清らかな羊の毛のようであった」(7・9)とか、「目を上げて眺めると、見よ、一人の人が麻の衣を着、純金の帯を腰に締めて立っていた。体は宝石のようで、顔は稲妻のよう、目は松明の炎のようで、腕と足は磨かれた青銅のよう、話す声は大群衆の声のようであった」(10・5―6)という描写とそっくりだ。このようなダニエルの用語を、ヨハネは取り入れたのである。

では、この「人の子のような方」とは誰か。

「足まで届く衣」(13)は、神と人間の仲だちをする祭司の服装であり、「金の帯」(13)は支配者のしるしである。毛髪の「雪のように白い」(14)色は、天上界に属することの象徴であり、「鋭い両刃の剣」(16)はその口から出る言葉の大きな力を示す。その他の特徴もすべて、天におられる主イエスの栄光と力を示すものだ。要するに、これは復活して天で生きたもうイエス・キリストに他ならない。だから、新共同訳聖書の「天上におられるキリストの姿」という見出しは正しい。

迫害の下で苦しんでいるとき、人はしばしば見捨てられたように感じる。だがヨハネはここで、「あなたがたは決して見捨てられてはいない」と言っているのである。主イエスは十字架上で、「わが神、わが神、なぜわたしをお見捨てになったのですか」と叫んで、絶対の孤独の中で死んで行かれたが、あの絶望が人生最後の結論なのではない。彼は死者の中から甦らせられ、死に打ち勝って天に上り、そこから我々を見守っておられる。これが、迫害下にあった初代の教会の信仰であった。

ところが、ヨハネはこの時、「その足もとに倒れて、死んだようになった」(17)という。ダニエルも同様であった。「力が抜けていき、……気力を失って……意識を失い、地に倒れた」(10・8—9)とある。聖なる存在に出会う時、汚れた存在である我々は一旦打ちひしがれる。このような畏敬を知らない信仰は、本物ではないだろう。

だが、その無力感から我々を立ち直らせるのも聖なる神だ。ダニエルの場合は、一つの手が彼に触れて「愛されている者ダニエルよ」(10・11)と語りかけ、彼を再び立ち上がらせた。ちょうどそのように、ヨハネも、聖なる方が「右手をわたしの上に置い……た」(17)、と言う。「右手」は力の象徴である。力強い手が彼に親しく触れてきた。「恐れるな。わたしは最初の者にして最後の者、また生きている者である。一度は死んだが、見よ、世々限りなく生きて、死と陰府の鍵を持っている」(17—18)。

「最初の者にして最後の者」とは、「アルファであり、オメガである」(1・8)方、我々の歴史の、また人生の、いかなる時点においても我々と共にいてくださる方である。歴史の支配者、死をも支配される方のことである。

その方が、いかなる時も右手をわたしの上に置いておられる! このことを信じよう。

# 3　労苦と忍耐

## 2・1―7

黙示録の著者ヨハネは、「神の言葉を伝え、またイエス・キリストについて証言した」という理由で、ローマ帝国の権力によってパトモス島に「島流し」にされた。その島で、彼はある日曜日、一種の恍惚状態の中で「ラッパのように響く大声」（1・10）を聞く。「お前が見るものを小さな巻物に書き取って、アジア州にある七つの教会に送れ」というのである（1・11）。

続いて彼は、色彩と音響に満ちた圧倒的な幻を見た（1・12―16）。復活して天に昇り、そこから地上で苦労している信徒たちを見守る主イエスの栄光と力の幻である。この天上のキリストの命令に従って、ヨハネは、七つの教会に順番に手紙を書く。最初はエフェソ教会である。

エフェソ（地図参照）は、天然の良港に恵まれ、商業・交通の要衝として栄えた。女神アルテミスの有名な神殿もあり、皇帝礼拝も行われていたというから、当時のアジア州で政治的にも重要な位置を占めた都市であったろう。使徒言行録19章には、パウロがここにしばらく滞在して教会を建てた経緯が記されている。

しかし、ここで言及されているのはパウロの建てた教会と同一ではなく、エルサレムが七〇年にローマに攻撃されて陥落した後、そこから移住してきたユダヤ人キリスト者によって創立された教会だろうと考えられている。

さて、2章の冒頭に、「右の手に七つの星を持つ方、七つの金の燭台の間を歩く方」（1）とある。天上のキリストのことだ。彼が、「わたしは、あなたの行いと労苦と忍耐を知って」いる（2）と言われたのである。先ずこの点に注目したい。

新共同訳では、「行いと労苦と忍耐」と三つを同格で並べているが、佐竹明訳では、先ず「あなたのわざ」と言って、そこで一度切る。「わざ」とは、広い意味で信仰の態度、あるいは信仰生活の実際を意味する言葉であり、それを具体的に説明するのが「労苦と忍耐」だ、というのである。だから、「わたしはあなたのわざを知っている。つまり、あなたの労苦と忍耐を知っている」ということになる。この方が説得的だ。

わたしはあなたがどのような信仰生活を送っているか、よく知っている。地上では、色々な苦しみを味わわねばならないし、忍耐しなければならないことも多い。そのことを、「わたしは知っている」と天上のキリストが言うのである。

この「わたしは知っている」と言い方は、エフェソ教会に対してだけでなく、スミルナ（2・9）、ペルガモン（2・13）、ティアティラ（2・19）、サルディス（3・1）、フィラデルフィア（3・8）、ラオディキア（3・15）など、他の六つの教会に対しても使われる。それは一方で人の心に畏れを呼び起こす。「わたしはあなたの行いを知っている。あなたが生きているとは名ばかりで、実は死んでいる」（3・1）という厳しい言葉などはその一例だ。天上のキリストは、何もかもご存知なのだ。

しかし他方、この言葉には言いようもなく深い慰めもこめられている。天上のキリストは「あなたの労苦と忍耐を知っている」。「あなたの苦難や貧しさを知っている」（2・9）。あなたの苦しみに対して正当な理解と敬意を払う人がこの世に一人もいなくても、彼だけはあなたの苦しみをご存知だ！

それだけではない。「悪者どもに我慢でき」ない（2）あなたの潔癖さも、偽りを教える偽伝道者の「うそを見抜いた」（2）鋭さも、「初めのころの愛から離れて」（4）、つまり神に対する謙虚な愛という初心を忘れていたずらに批判的・攻撃的になった過ちも、あの方はすべて見ておられ、知っておられる。

さらに彼は、「あなたには取り柄もある」（6）と言う。「ニコライ派」について詳しいことは分からないが、多分、「バラムの教え」（2・14）のように「偶像に献げた肉を食べ」、「みだらなこと」をする人々のことであろう。この人たちの「行い（＝生き方）を憎んでいる」（6）のは評価できる、と天上のキリストは言う。

つまり、彼は私たちの生きざまを、良い点も悪い点もひっくるめて、すべて知っておられるのだ。

遠藤周作『沈黙』には、十六世紀、禁教下の日本に潜入した若いポルトガル人司祭が「転んで」、つまり、信仰を棄ててイエスの顔を刻んだ銅板を踏む場面がある。

「司祭は足をあげた。足に鈍い重い痛みを感じた。……自分は今、自分の生涯の中で最も美しいと思ってきたもの、最も聖らかと信じたもの、最も人間の理想と夢にみたされたものを踏む。この足の痛み。その時、踏むがいいと銅板のあの人は司祭にむかって言った。踏むがいい。お前の足の痛さをこの私が一番よく知っている。踏むがいい。私はお前たちに踏まれるため、この世に生まれ、お前たちの痛さを分かつため十字架を背負ったのだ。

こうして司祭が踏絵に足をかけた時、朝が来た。鶏が遠くで鳴いた」。

——これは日本の文学がかつて生み出した中で最も深い表現の一つだと思うが、中でも「お前の足の痛さをこの私が一番よく知っている」という一句は、今日の黙示録の言葉と相通ずるもので、我々の魂を揺さぶる。

私たちの生きざま、労苦と忍耐、時には鼻持ちならぬ潔癖さや正義感、初心を忘れる弱さ。そして、「最も聖らかと信じたものを踏むこの足の痛み」（遠藤）。それらを、あの方が一番良く知っておられる。このことを心に刻みたい。

# 4 死に至るまで忠実であれ 2・8—11

アジア州にある七つの教会に宛てて書かれた手紙の二番目は、スミルナ宛てだ。スミルナは、エフェソから北へ約七十キロの海沿いにあり、エフェソと同じように良い港があって繁栄した町である。ローマとの往来も盛んで、ローマの女神を祀る神殿や皇帝礼拝のための神殿も造られていた。七〇年にエルサレムが陥落した後、たくさんのユダヤ人が逃れて来てこの町に住みついたという。度々「ユダヤ人」に言及されているのは、そのことと関係があるのであろう。

さて、ヨハネは先ず、手紙を書くように命じた方を紹介する。「最初の者にして、最後の者である方、一度死んだが、また生きた方」（8後半）。これは、1章17節とほとんど同じ言い方で、もちろん、「天上のキリスト」を意味する。

歴史の初めから終わりまで支配される方、あなたがたと同じように苦しみも死も経験された方、しかし死に呑み込まれず復活して今も天で生きておられる方、どんな時にもあなたがたと共におられる方、生きる時も死ぬ時も我々の慰めであられる方。その方が、「わたしは、あなたの苦難や貧しさを知っている」(9)と言われる。これがヨハネの信仰であり、迫害下で苦しむ信徒たちの信仰であった。アフリカから強制連行された黒人奴隷たちの信仰が単純であったように、また、中南米の「解放の神学」の母体となった貧しい人々の共同体における信仰が単純であるように、初代のキリスト教徒たちの信仰も単純である。苦しみの中にある人を支える信仰は、歴史上、常に単純であったし、今もそうである。

現職の牧師であったころ、私は、毎日のように病床のK兄弟を訪れて枕元で祈ったことがある。病状が日に日に重くなり、かすかな反応さえも次第に弱まって行く彼の手を握って祈るとき、余計な言葉はすべて削ぎ落とされる。そして、全く単純になって、どんな時にも私たちと共にいると約束された方、生きる時も死ぬ時も我々の慰めである方に向かって、ただ呼びかける。「今日も明日もこの人と共にいてください」。彼は、わずかに唇を動かして「アーメン」と唱和するように見える。

私は確信する。彼は今、人生の初めから終わりまで見ておられる方、自分と同じように苦しみも死も経験した方、しかし死に呑み込まれず復活して今も天で生きておられる方、どんなときにも共にいてくださる方の胸に抱かれているのである。そして、その方が、「あなたの苦しみはわたしが誰よりもよく知っている」と言われるのを聞いているのだ。ここの箇所では、この単純な信仰が明らかになる。

さて、9節には「苦難や貧しさ」と二つ並べた言い方が出てくる。黙示録について優れた注解を書いた佐竹明氏は、このペアが詩編44編24—25節に出てくることを指摘している。もっとも、詩編では順序が逆で、「主よ、……なぜ、眠っておられるのですか。……なぜ、御顔を隠しておられるのですか。我らが貧しく、虐げられていることを忘れてしまわれたのですか」となっている。だが、順序が逆だということには特別に意味はない。

重要なのは、ヨハネは詩編44編24—25節を念頭において書いているということ、しかも「旧約においては苦しい問いかけで終わっていたものが、今やキリストにおいて肯定的に答えられている」という佐竹氏の指摘である。

苦しいとき、我々は、「主よ、……なぜ、眠っておられるのですか。……我らが貧しく、虐げられていることを忘れてしまわれたのですか」とつぶやきたくなるものだ。だが、あの天上のキリストを見上げるとき、「わたしは、あなたがたの苦難や貧しさを知っている」という彼の声を、我々は確かに聞くであろう。

最後に付け加えたい。

この苦難には「非難」(9)、つまり、いわれなき誹謗《ひぼう》・中傷がついて回る。心ない言葉がどれほど人を苦しめるかは、我々もよく知る所だ。この箇所には、自称「ユダヤ人」によってこうした誹謗・

中傷がなされたとあるが、ヨハネは、本当のユダヤ人はそんなことはしないので、これは悪魔の仕業に違いない、という意味のことを言っている。そのために、あなたがたの何人かは「十日の間」(10)、つまり、短期間ではあっても投獄の憂き目を見るかもしれない。もしかしたら、そのために命を失うようなことも起こるかもしれない。だが、「死に至るまで忠実であれ」(10)。

この言葉を、「最後まで信仰の節操を守れ」という厳しい要求と理解してたじろぐ人も多いと思う。遠藤周作の『沈黙』には「転んだ」人々も登場するし、戦時中は軍国主義政策に追随したクリスチャンも多くいた。それが我々の現実である。

しかし、「死に至るまで忠実である」ということは、我々の人間的強さや勇気の問題ではない。むしろ、「主イエスが、十字架の死に至るまで忠実であった」という事実に固着する、ということである。我々の真実さや強さからではなく、主イエスの忠実さという驚くべき事実から、すべては始まるのである。

その時こそ、我々は「本当は……豊かなのだ」(9)と言えるようになり、そして、我々には「命の冠」が授けられるのである。

## 5 「サタンの王座」に屈しない　2・12―17

ペルガモンは紀元前一三三年まではペルガモン王国の都として栄えたが、最後の王アッタロス三世の死後ローマ帝国アジア州に編入された都市だ。スミルナの北東約七十キロの内陸地にあり、州の政治的中心地であった。紀元前二九年には皇帝アウグストゥスを祀る神殿が建てられ、アジア州における皇帝礼拝発祥の地となった。文化的にも重要な所で、ここの図書館はアレキサンドリアのそれと並び称されるほどであり、羊皮紙を英語で「パーチメント」というのは「ペルガモン」から来たと言われている。また医学校があり、医学の神アスクレピオスを祀る神殿もあって、病人が群れをなしてここを訪れたという。そのために、この町を「小アジアのルルド」と呼ぶ人もいる。

この町はまた、宗教的にも重要であった。ギリシアやローマの神々（ゼウス、女神ローマ、ディオニユソス等）を祀る神殿があり、盛んな礼拝が行われていた。これら神殿遺跡の一部は十九世紀にそっくりベルリンに移築されて、その名も「ペルガモン博物館」と名づけられる博物館に展示されている。息を呑むほど壮麗なものだ。

このように政治的・文化的・宗教的に重要な意味を持つこの町の教会に宛てて、ヨハネは手紙を書いたわけである。

先ず、「鋭い両刃の剣を持っている方が、次のように言われる」(12)とある。これは、復活して今も天で我々を見守っておられるキリストのことだ。「両刃の剣を持っている」キリスト、つまり、「心の思いや考えを見分けることができる」(ヘブライ4・12)キリストが、「わたしは、あなたの住んでいる所を知っている。そこにはサタンの王座がある」(13)と語りかける。「あなたの住む所にはいろいろと難しい問題があることを、わたしはちゃんと知っている」という慰めに満ちた言葉である。

「サタンの王座」は、差し当たり「偶像を礼拝する習慣が支配している」という意味に取れる。市中の至る所に偶像を礼拝するための神殿があり、それら多くの偶像には日ごとに犠牲の動物が献げられ、その肉は払い下げられて市場に出回り、人々の口に入る。このように、日常生活全体が偶像礼拝の雰囲気の中で営まれている町に少数のキリスト教徒が住む場合、様々な困難に直面することは明らかだ。

だが、それだけではない。「サタンの王座」は、むしろ皇帝礼拝と関係している(佐竹)。ヨハネはアンティパスという人物の殉教に言及しているが(13)、キリスト教徒を殉教に追い込む強大な勢力、換言すれば、キリストの教えた「謙虚な愛」に真っ向から敵対する「時代精神」、つまり皇帝を神とするイデオロギーがペルガモンを支配していたのである。「サタンの王座」は、そのことを意味しているであろう。

権力者が神として崇められることは、正に「サタン的」なのだ。ヒトラーは皇帝礼拝風の儀式を演出した。日本の天皇も「神」として礼拝された。こうしたおぞましいやり方が、どれほどの傲慢と暴虐を生み出したか。その典型的な実例は、植民地支配下の朝鮮で「神社参拝」を強制された多くのキリスト教徒が迫害を受け、殉教したことである。権力者の神格化は、主イエスの愛の戒めとは相容れない。ヨハネがそれを「サタンの王座」と名づけたのは、当然であろう。

さて、天におられるキリストは続けて、「あなたはわたしの名をしっかり守って、わたしの忠実な証人アンティパスが、サタンの住むあなたがたの所で殺されたときでさえ、わたしに対する信仰を捨てなかった」(13)と賞賛する。教会の歴史には、このように忠実な証人が存在する。このことを、我々は感謝と共に想起する。「おびただしい証人の群れに囲まれている」とヘブライ書の著者が言う通りである(12・1)。

だが、それに続けて天上のキリストは、「あなたのところには、バラムの教えを奉ずる者がいる」(14)と警告する。教会史には「負の遺産」もあるのだ。

バラムという人物については、民数記22―24章に、おとぎばなしのような物語が伝えられている。

エジプトを脱出したイスラエルの人々がモアブという所に近づいたとき、土地の王バラクは恐れて、霊能力のあるバラムに「イスラエル民族を呪ってください」と依頼した。バラムは「呪ってはならない」という神の言葉を聞いて、一旦は断る。しかし、懇切な招待を断りきれずにロバに乗って出かけると、そのロバが途中で動かなくなる。怒って杖で打つと、今度はロバにたしなめられる、という話である。――しかし、別の伝承（民数記31・16）もあって、彼はイスラエルの民をそそのかして偶像礼拝とあらゆる性的悪行に走らせたという。ヨハネはこっちの方を取ったのかもしれない（14）。

「ニコライ派の教えを奉ずる者」（15）も、詳しくは分からないが、多分、グノーシス主義者の一派ではないかと言う学者もいる。彼らは、霊的な救いに重きを置くあまり、日常的な生活に関しては「どうでもいい」と高をくくる傾向があり、その結果、簡単に偶像礼拝に妥協してしまったらしい。キリストはこのような人々を厳しく戒めるのである。

主イエスに従って謙虚な愛を追い求める者には、困難の中でも必ず生きる道が備えられる、とヨハネは言う。イスラエルの民が砂漠で食糧が尽きたとき、天から降ってきた「マンナ」によって生かされたように。また、「白い小石」（17）が与えられる、とも言う。これは、表面にまじないの言葉が書いてある小石を持っている者は悪霊から守られるという異教の伝統を換骨奪胎したもので、そこには「新しい名が記されている」。イエスの名である！

# 6　人の思いを見通す神

2・18―29

ティアティラはペルガモンから南東へ約六十キロ、街道沿いにある内陸地の町である。織物・染色で知られた商業の町で、使徒言行録16章14節に、この町出身の「紫布を商う人」リディアという女性が登場するのも、そのことと関係があるだろう。政治的にはそれほど重要ではなく、従って皇帝礼拝の施設もなかったという。

さて、この町の教会に対して天上のキリストは、「わたしは、あなたの行い、愛、信仰、奉仕、忍耐を知っている。更に、あなたの近ごろの行いが、最初のころの行いにまさっていることも知っている」(19)と賞賛した。エフェソの教会が「初めのころの愛から離れてしまった」(2・4)と叱責されたことを思えば、ティアティラ教会が着実に成長を続けていたことが察せられる。

しかし、問題もあった。地上の教会で完璧なものは一つもない。いずれも問題を抱えている。ティアティラの場合は、「あなたは、あのイゼベルという女のすることを大目に見ている」(20)と批判される。一体、イゼベルとは何者か?

20節に、「この女は、自ら預言者と称して、わたしの僕《しもべ》たちを教え、また惑わして、みだらなことをさせ、偶像に献げた肉を食べさせている」とある。「みだらなこと」（淫行）とは、性的な悪行というより信仰的な堕落のことであろう。「偶像に献げた肉を食べる」というのは異教礼拝への参加を意味する。ペルガモンでも「バラムの教えを奉ずる者」や「ニコライ派の教えを奉ずる者」が同じように「偶像に献げた肉を食べさせ、みだらなことをさせる」（2・14）と言われている。ここから見て、神に対する信仰を夫婦間の節操にたとえて、こうした信仰的な危険がティアティラにもあるということを象徴的に表現したのであろう。実際にカリスマ性を具《そな》えた女性の自称預言者がこの町にいて影響力を行使していたとも考えられるが、やはり象徴的な表現であろう。

ところで、イゼベルというのは紀元前八五〇年頃実在した女性である。列王記上16章31―33節によると、彼女はシドン人の王でバアルの祭司・エトバアルの娘であり、北王国イスラエルの王アハブの妻に迎えられた。この妻に影響されて、アハブ王は大々的に「バアル礼拝」を取り入れ、イスラエルの信仰を大いに歪めた。列王記に「彼以前のだれよりも主の目に悪とされることを行った」（列王記上16・30）と記録されたほどだ。しかし、この悪行を先頭に立って指揮したのはイゼベルである。彼女は、四百五十名のバアルの預言者・四百名のアシェラの預言者を手先に使ってヤハウェの預言者たちを片端から捕らえて殺し、たった一人残ったエリヤをも荒れ野に追いつめて殺そうとした。メンデルスゾーンのオラトリオ《エリヤ》に歌われている通りである。

だが、この箇所でイゼベルという名が使われているのは、前述した通り、信者を誘惑して「信仰的淫行」に導こうとする危険な人々（ないしは運動）の象徴としてであろう。

参考のためにイゼベルが持ち込んだ「バアル宗教」について述べておく。これは元々、「大地の生産力」への信仰で、パレスチナ地方に広く分布していたものだ。

土地を耕して作物を育てる農民たちは、むろんある程度は自力で働くが、その後は、人間の手には及ばない自然の力に委ねるほかはない。早すぎる春も、遅霜のような天候不順も、収穫を大いに左右する。「寒さの夏はおろおろ歩き……」（宮沢賢治）。羊や牛を飼う人々も、ＢＳＥのような病気が流行ったりしないように、小羊や小牛が今年もなるべく多く生まれるようにと、祈るような気持ちで生きている。

そのように、超自然的な神の存在を信じて謙虚な気持ちで恵みを祈っている間はいいが、実に微妙なところで、「自分の欲望を叶えてください」という祈りに変質することがある。事実、バアル宗教は、「自己中心主義」（エゴイズム）への道を開いた。欲望は解放され、人々は「バアル」という神を信じて拝むだけでは収まらず、結局、「自分の欲望」を神とするようになった。欲張りになり、性的にもしまりがなくなる。

これは、旧約聖書の戒め、主イエスが「神への愛」と「隣人への愛」という、二つの「愛の戒め」に集約した神の意志に逆らうものだ。イゼベルという名で象徴的に示されているのは、このことである。それは、「愛、信仰、奉仕、忍耐」(19)の対極にある。

だからこそ、このような生き方に対しては神の裁きが下るのである。「この女を床に(=死の床に)伏せさせよう」(22)とか、「ひどい苦しみに遭わせよう」(22)、あるいは「この女の子供たちも打ち殺そう」(23)という一見残酷な言い方も、イゼベルに象徴されるような神への背反は、結局、続かないという意味なのである。イゼベルは、神の前では、いかなる将来も持たない。バブル経済崩壊後の日本が「バブルのツケ」を払わされるような形で天文学的な額の「不良債権」の処理に苦しんだのも、このことの具体的な現れだと言っていいだろう。

イゼベルに象徴されるような神への背反、自己中心的な「欲張り」は、必ず神の裁きを受ける。それを通じて我々は、神が「人の思いや判断を見通す」(23)方であること、人間の心の奥まで見通していつかは正しい裁きを下されるということを悟るようになる。これに反して、「わたしの業を終わりまで守り続ける者」(26)には「明けの明星」(28)が与えられる。「明けの明星」は22章16節ではキリストご自身であるから、これは復活の主と共に永遠の生命に与《あずか》るという約束なのである。

# 7　目を覚ませ　3・1―6

サルディスという町は、前項のティアティラからさらに南南東へ約五十五キロの平地にある。昔は栄えたが、ヨハネの頃は、羊毛の集散地として知られた程度である。

しかし、この町にも教会があって、そろそろローマ帝国全域に広がる気配を見せていたキリスト教迫害に対して自らの姿勢を確立する必要に迫られていた。ヨハネはこのことを念頭に置きながらこの手紙を書いたのである。「神の七つの霊と七つの星とを持っている方」(1)とは、1章によればキリストを意味している。彼の名において書いたという点では、他の教会の場合と同じである。

さて、この教会に対する賞賛の言葉はない。いきなり「あなたが生きているとは名ばかりで、実は死んでいる」という厳しい言葉で始まる(1後半)。

「生きている」とか「死んでいる」というのは、単に肉体的な生死を意味するものではない。これは前後の文脈から既に明らかだ。むしろ、5節に出て来る「命の書」にその名が記されるような生き方をしているかどうかが問われているのである。恐らくこの教会については、信仰的に「勝利を得る」(5)と約束された教会という評判が一般にあったのであろう。だが、キリストの目から見れば、それは評判倒れで、実際は「死んでいる」、というのである。つまり、「命の書」に名を記され、信仰的な勝利を約束されるような生き方はしていない。

ある学者は具体的にこう説明する。すなわち、サルディス教会は、一見うまく行っているように見えたかもしれないが、実際は「それまでの活動を維持することも、新しい回心者をつくることもできず、老境に入って退化しつつあった」と。だが、そういう問題ではないだろう。

むしろ、この教会の信仰生活が神の期待されるような形でなされてはいない、という問題を突いているのである。だから、「あなたの行いが、わたしの神の前に完全なものとは認めない」(2)と言う。これはどういうことだろうか?

これを理解するために、我々は、黙示録全体にヨハネが与えた表題に注目したい。「イエス・キリストの黙示」(1・1)。また、七つの教会への手紙がすべてキリストの名によって書かれているように、ヨハネは常にイエス・キリストに注目していた。この点が何よりも重要である。

そしてそのキリストとは、「わたしたちを愛し、御自分の血によって罪から解放してくださった方」(1・5)であり、「誠実な方、死者の中から最初に復活した方」(1・4)であり、今も天で生きていて、我々の「労苦と忍耐」(2・2)、「苦難や貧しさ」(2・9)をすべて「知っている」(2・2、

3・1―6、9、13、19ほか）と言ってくださる方である。天にいて、しかも地上の最も小さな存在を愛したもう方である。

我々の信仰とは、どんな時にもこのキリストに注目する信仰でなければならない。他のものに目を奪われてキリストから目をそらすとき、我々の信仰は「死んだ」ものとなる、とヨハネは言っているのである。

一九三三年以降、ナチス支配下のドイツでは、アードルフ・ヒトラーが、アーリア民族こそ世界で最優秀の民族であるという荒唐無稽の理論を展開し、劣悪な民族は根絶やしにしてしまえという政策を実行に移していた。その対象になったのはユダヤ人だけではない。シンティ・ロマ（ジプシー）、精神しょうがい者、同性愛者といった人々が大量に虐殺された。

このような考えを熱烈に支持したのが、「ドイツ的キリスト者」と自称する人々である。このグループは当時のドイツ教会の大半を占めていたが、やがてヒトラーの直轄支配下に入り、一時は「虎の威を借りる狐」のように隆盛を誇った。しかし、彼らは主イエスから目をそらしてヒトラーの壮大なまやかしに目を奪われていたのであり、その信仰は「死んで」いた。あるいは、「死んで」いたからそういうことになったのか？

同じことは、当時の日本でも起こった。日本の教会が、「天皇を神とする」イデオロギーに屈服する形でアジアの諸教会に日本的思想への服従を求めた時、我々の先輩たちは残念ながら当時の支配的なイデオロギーの壮大なまやかしに目を奪われて主イエスから目をそらしたのであり、その信仰は「死んで」いたのである。

ヨハネ黙示録13章には、「海の中から上って来る一匹の獣」が登場する（13・1）。これはローマ帝国のことだ。当時のローマでは、膨大な富と、巨大な政治権力、最強の軍事力を具《そな》えたローマ皇帝こそ世界の主・歴史の主であると信じられ、皇帝礼拝がすべての市民に強制された。だが、このような力に目を奪われるとき、信仰は死ぬのである。

我々は最も小さなものを愛されるイエスを通じて神を知る。自らを低くされたイエスを通じて人間を知る。すべての人のために命を捧げられたイエスを通じてこの世界を知る。このイエスから目をそらせてはならない。「目を覚ませ」（2）と言われ、「どのように受け、また聞いたか思い起こして、それを守り抜き、かつ悔い改めよ」（3）と言われるのは、この意味においてである。

だが、サルディスにも、「皇帝が主である」とは決して言わず、この「イエスこそ主である」と告白する人々が少数ながら存在した。ヨハネは最後にこのことを認めて慰めの言葉を語る。この人々は「白い衣を着て」（4）キリストと共に歩き、勝利を得、命の書に名を記されるであろう。

# 8　開かれた門　3・7―13

愛用している牧師用のカレンダーによって、私は待降節第二主日の説教テキストとして、ヨハネ黙示録3章7―13節を選んだ。

11節に「わたしは、すぐに来る」とあるように、この問題の多い世界の歴史の中に「主が再び来りたもう」というのが「ヨハネ黙示録」の信仰の中心である。「来たりたもう主を待つ」というのは正に待降節の主題であるから、黙示録を読むことは待降節にふさわしい。

さらに、「ヨハネ黙示録」が皇帝ドミティアヌスの治世下（八一―九六年）に書かれた「抵抗の文書」である、ということも重要である。当時のローマ帝国は、戦前の日本と同じように国家権力を絶対化し、皇帝を神とし、各地にそのための神殿を建て、あらゆる市民に「皇帝礼拝」を強要した。キリスト教徒の中には、やむを得ず妥協した人もいたが、「人間に過ぎない皇帝を神として礼拝することはできない」という信仰に基づいて礼拝を拒んだ人々は、弾圧・迫害を受け、場合によっては殉教の死を遂げねばならなかった。このような危機的状況の中で書かれたからこそ、「ヨハネ黙示録」は危機に際してよく読まれ、信仰の励ましとなった。戦時中に矢内原忠雄が行った『ヨハネ黙示録講義』が人々に特別な感銘を与えたのは、その好例である。超大国が巨大な経済力・武力を行使するという時代の中で、来たりたもう主を待ちつつ、この文書を読むことは特別に意味深いと言わなければならない。

さて、「ヨハネ黙示録」は、「ヨハネ」(1・1)と名乗る人物によって書かれたことはすでに書いた。この人物の正体は不明であるが、小アジア(現在のトルコ)地方の有力な教会指導者だったらしい。ドミティアヌス帝の下で迫害を受け、エーゲ海のパトモスという小島に幽閉されていたと思われる(1・9)。この人が、ある日曜日に獄中で力強い主イエスの幻を見た(1・13―16)。幻に現れた主は、小アジアに散在する七つの教会に励ましの手紙を「書き送れ」と命じて、その内容を口述する。3章まではその手紙である。

どの手紙も、「主があなたの苦しみをご存知である」という意味の語りかけで始まっている。このことに、私は深い感銘を受ける。以下は小河陽訳で引用するが、エフェソの教会に対しては、「お前の〔善き〕行ないを、そして、お前の苦労や忍耐を〔知っており〕」(2・2)と言い、スミルナの教会に対しては、「お前が患難に苦しみ、貧しさにあえいでいること、それにもかかわらず、お前が〔本当の〕豊かさを持っていることを知っている」(2・9)と言う。ペルガモンに対しては、「お前がどこに住んでいるのか知っている、そこに、サタンの王座があることもだ」(2・13)と語りかけ、ティアティラに対しては「お前の〔善き〕行ない……、お前の愛と信仰と奉仕と忍耐とを〔知っており〕」(2・19)と語る。

苦しいとき、人は限りなく孤独になる。この私の苦しみは誰にも分かるはずはないと感じる。だが、あの十字架の苦しみを味わわれたイエスなら、分かってくださる。ヨハネが、先ず「あなたのことは、主がご存知である」という語りかけをするのは、そういう意味だ。

さて、この箇所に出てくる「フィラデルフィア」は、「兄弟愛」という美しい名を持った町である。アメリカにも同名の都市がある。「クエーカー」の指導者ウィリアム・ペンによって開かれた町だ。名の出所は同じであろう。

このフィラデルフィア教会に対してヨハネは先ず、「聖なる方、真実な方、ダビデの鍵を持つ方」、つまり、救いの最終的な決定権を持つイエスが「あなたの前に門を開いておいた」(8)と言う。「門を開く」というのは、終末の救いが約束されているという意味である。この約束はいい加減なものではない。「この方が開けると、だれも閉じることなく、閉じると、だれも開けることがない」(7)。

フィラデルフィア教会は、この約束に対して「力が弱かったが、わたしの言葉を守り、わたしの名を知らないと言わなかった」(8)。つまり、自分たちの人間的な弱さを熟知しながらそこで腰砕けにならず、どんなに迫害されてもペトロのように「イエスを知らない」などと言わず、ただイエスの真実に信頼して忍耐した。「そのことは他の誰よりもわたしがよく知っている」とイエスは言う。弱さゆえのあなたの恐れや、世界は滅びるのではないかという不安、あなたの苦しみ、そしてあなたの忍耐を、神様はご存知だ！　私の悩みは誰も知らない。だが、主イエスは知りたもう。「あなたの行いを知っている」（8）というのは、そういう意味の深い励ましである。

「それゆえ、地上に住む人々を試すため全世界に来ようとしている試練の時に、わたしもあなたを守ろう」（10）。ここでユダヤ人の迫害に言及されているが、これはユダヤ人に限らない。この世界には常に理不尽な迫害がある。しかし、そのような非道はいつまでも続くものではない。「わたしは、すぐに来る。あなたの栄冠をだれにも奪われないように、持っているもの（＝約束）を固く守りなさい」（11）。

古来、黙示録の言葉を強引にその時代の現象に当てはめる牽強付会の解釈があった。私は、それは取らない。しかし、望みを失いがちな時代に生きる我々にとって、これらの言葉は豊かな暗示を与えるのではないか。

# 9　戸口をたたく神　3・14―22

ヨハネはアジア州（現・トルコ西部）の七つの町にある教会に手紙を書いた。最後はラオディキア教会への手紙である。この町は、エフェソから真東に約百五十キロ、内陸地にある町だ。交通の要衝にあるために銀行など金融業で栄えた。黒い羊毛で織った毛織物の産地としても知られる。その他に、有名な医学校があり、ここで作られる目薬は有名であった。

さて、この町の教会に対しては、天上のキリストは厳しい叱責の言葉で始める。「あなたは、冷たくもなく熱くもない。むしろ、冷たいか熱いか、どちらかであってほしい。熱くも冷たくもなく、なまぬるいので、わたしはあなたを口から吐き出そうとしている」（15―16）。これはどういう意味だろうか？

ある学者は、この文章にはラオディキアの水事情の悪さが反映している、と説明する。上流で湧いた新鮮な湧き水を上水道で引いているのだが、それが部分的には強烈な日光で熱せられた管を通るので、この町に着く頃には「なまぬるく」なっていて飲めたものではないというのである。面白いが、この文章の真の意味を説明しているとは言えない。

よく聞くのは、「熱い」を信仰的熱心と捉え、「冷たい」を反抗的態度、「なまぬるい」を微温的でどっちつかず、とする解釈である。信仰生活においては「熱心」であるに越したことはない。「冷たい」反抗的な態度にも、まだ見込みはある。一番悪いのは「なまぬるい」ことだ。我々の体験からも、この解釈はよく分かる。

しかし、私には、これを17節の言葉と結びつける読み方が一番説得的だった。つまり、ラオディキア教会の人々は、「わたしは金持ちだ。満ち足りている。何一つ必要な物はない」と言っている。経済的な意味ではない。信仰的な意味において自己満足し、思い上がっている。「なまぬるい」とはそういうことだ、というのである。

しかし、自己満足しているが実際は「自分が惨めな者、哀れな者、貧しい者、目の見えない者、裸の者であることが分かっていない」(17)、という。これが「なまぬるさ」のもう一つの側面だ。思い上がりは自分の惨めさをさらけ出すだけで、自分が本当は哀れな者、貧しい者であることを知らず、物事の真実が見えていないことに気づかず、神の前で何もかも見通されて救いへの保証を持つこともできない裸の存在であることを知らない。

この「なまぬるい」ラオディキア教会の人々に対して、天上のキリストは勧める。「裕福になるように、火で精練された金をわたしから買うがよい。裸の恥をさらさないように、身に着ける白い衣を買い、また、見えるようになるために、目に塗る薬を買うがよい。

ここでは確かに、この町の状況が一々反映されている。「火で精練された金」、つまり純粋な金はこの町の銀行に貯えられている。「白い衣」はこの町で生産される毛織物を、「目に塗る薬」はこの町の有名な粉末目薬を連想させる。生活を守り、豊かにするために、あなたがたはこれらの物を手に入れようとするではないか。

これらの経済的な豊かさも大切だ。だが、それよりも、信仰的な意味で本当に豊かになることが重要だ。そのために、あなたがたは銀行やアパレルメーカーや薬局ではなく、必要なものを「わたしから」、つまり主イエスから手に入れるがよい。それが「悔い改め」(19)である。

最後に、「見よ、わたしは戸口に立って、たたいている」(20)という言葉に注目したい。これが終末の時に再び来たりたもうキリストを指していることは明らかである。この呼びかけに応えて彼を迎え入れる者は「共に食事をする」。つまり、神の国で祝福に与《あずか》る、というのである。

再臨の主イエスが戸口をたたく、という。乱暴に「開けろ、開けろ」と拳固で叩くのではない。彼は静かに、聞こえるか聞こえないかといった静かさで、我々の良心の深みにしみ通るような仕方でノックしているのではないか。

確かに黙示録には、主イエスが力強い、大きな声を発するという記述もある。「ラッパのように響く大声」（1・10）とか、「声は大水のとどろきのようであった」（1・15）とか。しかし、ちょうど「休止符」のように、静けさも重要な要素として存在する。これを見落としてはなるまい。「小羊が第七の封印を開いたとき、天は半時間ほど沈黙に包まれた」（8・1）。この静けさ！

そもそも聖書では、ここぞという重要な場面で物事を決定するのは威嚇《いかく》的な大声ではなく、静かな細い声である。預言者エリヤが荒れ野で絶望していたとき、彼を立ち上がらせたのは「静かにささやく声」（列王記上19・11―12）であった。預言者イザヤは、「主の僕《しもべ》」と呼ばれる不思議な人物についてこう歌っている。「彼は叫ばず、呼ばわらず、声を巷に響かせない」（イザヤ書42・2）。

一九七七年のクリスマス頃、私はガーナ長老教会の招きで二週間、赤道直下のガーナに滞在したことがある。あの国では、ノックはしない。しようにもドアがない。泥で造った円形の家の壁に人が一人通れるくらいの穴が空いており、訪ねて来た人はその外側に立って、のびやかに「アゴー」と呼びかけるのである。中から「アメー」という答えが返ってくれば、「どうぞお入りください」という意味なのだ。人が呼びかけ、人が答える。

主イエスのノックも、そのような人間らしい応答を呼び起こすためのものではないだろうか。

# 第2部

**バビロン（ローマの都）に対する災いと裁き**
**第4章1節–第18章24節**

A　天上界の神・キリスト礼拝　4・1–5・14

B　七つの封印・ラッパ・鉢の災い　6・1–18・24
　　第一から第六の封印　6・1–17
　　〔幕間劇〕　7・1–17
　　第七の封印　8・1–5
　　天使のラッパと災い　8・6–9・21
　　〔幕間劇〕　10・1–11・14
　　第七のラッパ　11・15–19
　　悪の力とキリストの戦い　12・1–13・18
　　小羊と勝利者たちの歌　14・1–15・8
　　神の怒りを盛った七つの鉢　16・1–21
　　大淫婦バビロンの滅亡　17・1–18・24

# 10　主よ、わたしたちの神よ　4・1―11

アジア州の七つの教会に宛てた手紙はヨハネの黙示録1―3章で終わり、4章からは、一連の幻の最初のシリーズが始まる（11章まで）。ここでヨハネは、「七つの封印で封じられた巻物」が神の手の中にあるのを見る（5・1）。この封印が、小羊（イエス・キリスト）の手によって次々に開かれるという展開である。

さて、先ず「開かれた門が天にあった」（4・1）という言葉に注目したい。

聖書の信仰では、神は超越的な存在であるから、超越的な神の在り処である天を地上の人間が覗《のぞ》き込むことはできない。天と地は絶対に隔絶している。預言者イザヤが、「わたし（神）の思いは、あなたたち（人間）の思いと異なり、わたしの道はあなたたちの道と異なると主は言われる。天が地を高く超えているように、わたしの道は、あなたたちの道を、わたしの思いは、あなたたちの思いを、高く超えている」（55・8―9）と言っている通りである。

しかし、その天に、人間のために「開かれた門がある」のをヨハネは見た。そして「ラッパが響くような」声が、「ここへ上って来い。この後必ず起こることをあなたに示そう」（1）と語りかけるのを聞いた。これはどういうことか？

我々の体験に照らして考えたい。我々の人生には、どうしても分からないことが多くある。元気で幸せに暮らしている間はあまり考えることもないが、一旦苦しい目に遭ったとき、ヨブのように「一体、なぜこういう目に遭わなければならないのか？」という深刻な問いを心に抱く。答えはない。

ヨハネが黙示録を書いた第一世紀の終わり頃、キリスト教徒はローマ帝国の絶大な権威の下で苦しめられていた。その少し前に有名な暴君ネロ（在位五四―六八年）が出て、彼のもとで、まだ単発的ではあるが、キリスト教徒の迫害は既に始まっていた。13章3―4節は、この皇帝の暴虐を暗示している。諸教会はさまざまな困難に直面し、そして今は、指導者のヨハネ自身もパトモス島に島流しになっている。

このような情況の中で、人は問わざるを得ない。キリスト教徒は別に何も悪いことをしたわけではないのに、どうしてこのような目に遭わなければならないのか。我々の将来はどうなるのか。世界の歴史は、どこへ向かっているのか。

パレスチナの人々のことを思い浮かべる。いつ終わるとも知れない、泥沼のような戦争の中で自爆テロに走る人々の心中には、自分たちの将来が全く見えないという一種の絶望があるのではないか。

4・1—11

独裁者の苛酷な支配を逃れて生命がけで亡命を求める人々も、故国における将来を諦めたのであろう。苦しみの中では、人はそうなる。

だが、ヨハネの目には天にある「開かれた門」が見え、「この後必ず起こることをあなたに示そう」という声が聞こえたという。これが肝心の点である。今、歴史の意味は自分たちの目には隠されている。我々の人生は何らかの意味ある将来へ向かって進んでいるのか。それが見えて来ない。だが、天では、つまり神のもとでは、それは明らかであり、それを信じて礼拝が行われる。

それに続いて、ヨハネが見た色彩豊かな幻が描写される。「天に玉座が」あり、「玉座の上に座っている方」（2）が見えた。その方は「碧玉や赤めのうのようであり、玉座の周りにはエメラルドのような虹が輝いていた」（3）。また、玉座の周りには「白い衣を着て、頭に金の冠をかぶった二十四人の長老が座っていた」（4）。さらに「四つの生き物がいたが、前にも後ろにも一面に目があった」（6）。エゼキエル書1章に、大変良く似た情景が描かれていることからも、当時広く流布されていたユダヤ教黙示文学の伝統に従って書かれていることは明らかだ。

少し脇道に逸れるが、ベルリン映画祭で『千と千尋の神隠し』によってグランプリ（金熊賞）を得た宮崎駿《はやお》は、彼の映像作品の中で、黙示文学を連想させる数々の不思議な「生き物」を創作した。もしかしたら、彼はエゼキエル書1章や、ヨハネ黙示録を熱心に読んだことがあるのではないか。

話を本題に戻す。これらの想像力豊かな描写には、一つ一つに意味がある。学者たちは詳しく説明しているが、今、私はそれをすべて割愛する。ただ、玉座の周りには「白い衣を着て、頭に金の冠をかぶった二十四人の長老が座っていた」(4)という叙述と、そこには「四つの生き物がいた」(6)という言葉については説明しておいた方がいい。有力な注解書は、これらが「天使的な存在」だ、という点では一致している。

「四つの生き物」は天の玉座の前で、「昼も夜も絶え間なく」(8)神を礼拝し、「聖なるかな、聖なるかな、聖なるかな、全能者である神、主、かつておられ、今おられ、やがて来られる方」(8)と賛美することを職務としている。

二十四人の長老たちも、自分たちの冠を投げ出して、「主よ、わたしたちの神よ、あなたこそ、栄光と誉れと力とを受けるにふさわしい方。あなたは万物を造られ、御心によって万物は存在し、また創造されたからです」(11)と賛美告白している。

地上の歴史でどんなに暗い出来事が起ころうとも、その過去・現在・将来は主なる私たちの神の御手の中にあり、一切はそこから意味を与えられる。この真実は天においては曇りなく明らかなのだ。

ヨハネは、「ここへ上って来い。この後必ず起こることをあなたに示そう」と招かれた。我々もこの天上の礼拝・この賛美告白へと招かれているのである。

# 11　世界史の封印を解く　5・1―5

ヨハネは5章で、4章に続いて幻を見ている。ヨハネの黙示録が「幻を見る」と言うとき、それは単なる「幻覚」ではない。「普通の物の見方を超えたところから世界史の現実を見る」ということであろう。

私が言う「普通の物の見方」とは、換言すれば、ごく普通の人間として生きている我々の「ホンネ」と言ってもいい。たとえば、パレスチナで繰り返し起こっている泥沼のような憎悪と報復の悪循環、あるいは、「悪の枢軸」と名指しされた国々と米国指導部との間の抜き難い不信感、インドとパキスタンの長年の緊張――こういった問題を、我々はほとんど絶望的な気分で見ている。「ホンネ」を言えば、「もうどうにもならないのではないか」と言いたい。

もっと身近な例を挙げれば、我が国の現状だ。最近の世論調査によれば、ほぼ半分近い国民が「いかなる政党も支持しない」と答えたという。これは、尋常ではない。政治家や官僚がやっていることに、国民は呆れ果てている。政治に限らない。あらゆる分野にわたって、この国には「何も信用できない」という気分が充満している。日常使っている薬や化粧品、さらには食べ物にも、何が入っているか分からない。人々は、投げやりな調子で「どうしようもない！」と言う。これが「普通の物の見方」である。

だが、この投げやりな気分の中で、我々は聖書の言葉に出会う。そのとき、我々は普通の物の見方を超える。たとえば、ローマの信徒への手紙8章18―25節がそうだ。

――絶望的に見えるこの世界も、「いつか滅びへの隷属から解放されて、神の子供たちの栄光に輝く自由にあずかれる」（21）。その時を、我々は「心の中でうめきながら」（23）待ち望んでいる。「わたしたちは、このような希望によって救われて」（24）いるのである。もしそうだとすれば、「忍耐して待ち望む」（25）以外にはない、と言う。この「目に見えないものを望む」ということこそ、「幻」に他ならない。

ヨハネが幻で見たものは、「普通の物の見方」を超えた所からしか見えてこない希望である。それは、4章によると、「天上の礼拝」であった。輝くような玉座があり、その周りには四つの不思議な生き物がいて、「かつておられ、今おられ、やがて来られる」「全能者である神」（8）が歴史の支配者であると告白している。また、白い衣を着た二十四人の長老も、そのことの故に神を賛美している（11）。黙示文学の伝統では、やがてこの地上で起こるはずのことは先ず天に現れる、と考えられていた。

我々は、この世界でウンザリするほど繰り返されている人間の愚かさに絶望し、この世界は滅びに向かっていると感じているだろう。これが「普通の物の見方」だ。だが、聖書はこの見方を超える。天で行われている美しい礼拝は、必ず我々の世界の中でも実現するだろう！　その幻を、ヨハネは見たのである。

この幻がこの箇所でも続いている。「玉座に座っておられる方」（1）、つまり、歴史の支配者である神の右の手に、七つの封印で封じられた巻物があり、「表にも裏にも字が書いて」あるのが見えた。

「封印された巻物」とは何か？　そこには一体、何が書いてあるのか？

世界史の中で「これから起こること」についてである。歴史の支配者である神は、世界史がどこに向かうかを知っており、それが天にある巻物には既に記されている。ヨハネはそう信じていた。だが、その封印を解く者がいない。巻物には「世界史の終局」について書いてあるのだが、「天にも地にも地の下にも、この巻物を開くことのできる者、見ることのできる者は、だれもいなかった」（3）。

要するに、先が見えないのである。そのために、ヨハネは「激しく泣いていた」（4）。将来に対して不安があり、途方に暮れたとき、人は泣きたくなるものだ。その頃、アジア州はローマ帝国の支配下にあり、キリスト教徒は皇帝礼拝を強制され、各地の教会は断続的に迫害にさらされた。そして、ヨハネ自身もパトモス島に幽閉されている。一体、教会はどうなるのか？　世界史はどこに向かおうとしているのか？　人は不安に閉ざされ、途方に暮れることもあったであろう。

敗戦のとき、私は八王子の陸軍幼年学校から廃墟の東京に放り出された。故郷に帰るように言われたが、私には行く所がなかった。軍人の父は南京におり、母や姉妹は満州に残されていて、一家はバラバラだった。津軽の母の里に行こうと考えた私は、朝早く上野駅に行った。数万の復員兵士たちが駅の内外を埋め尽くしており、いつ出るか分からぬ列車を待って友人と二人で夜通し雨の中に立ち尽くしていた。明け方漸く順番が来て、乗り込もうと思ったとたんに人の渦の中に巻き込まれて意識を失った。気がつくと、友人はホームと列車の間に落ちてもがいている。やっとの思いで彼を助け出した私は、もう津軽へ行く気力も失せ、二人で八王子の学校の焼け跡に戻った。その時、私は本当に途方に暮れて、体の芯が抜かれたようだった。ただ泣けてきた。ヨハネが「激しく泣いていた」というのも、分かるような気がする。

しかしその時、長老の一人がヨハネに言った。「泣くな。見よ。ユダ族から出た獅子、ダビデのひこばえが勝利を得たので、七つの封印を開いて、その巻物を開くことができる」（5）。これはイエスのことである。世界史がどこに向かうかは、封印されている。解読できるのは、イエスの他にはない。彼の十字架と復活。そこに表された愛と真実。それが、それだけが、世界史の封印を解くのである。

# 12　新しい歌をうたう　5・6―14

我々の世界は、一体、どうなるのか？　歴史はどこへ向かうのか？　問題と矛盾に満ちた現代世界について考えるとき、我々は不安に閉ざされ、しばしば途方に暮れる。紀元一世紀末のヨハネも同じであった。確かに彼は、「玉座に座っておられる方（神）の右の手に巻物があるのを見た」。つまり、世界史の行く手や意味を神はご存知である、と信じていた。だが、それは「七つの封印で封じられて」いて、ヨハネ自身にも他の誰にも見えない。途方に暮れたヨハネが泣いていると、「泣くな」と励ます声がして、封印を解くことのできる方がいる、と告げられる。――これが、前項で共に学んだ5章1―5節の内容である。

6節以下でも、ヨハネの幻は続いている。その中で彼は、「屠《ほふ》られたような小羊」（6）を見た。ヨハネ福音書1章29節でイエスが「世の罪を取り除く神の小羊」と呼ばれていることから見ても、「小羊」は明らかにイエスのことである。

そして、この「小羊は進み出て、玉座に座っておられる方の右の手から、巻物を受け取った」（7）。

「巻物を受け取る」のは、その封印を解いて世界史の意味を解き明かすためである。だからこそ、四つの生き物と二十四人の長老が歌った新しい歌の冒頭に、「あなた（イエス）は、巻物を受け取り、その封印を開くのにふさわしい方です」（9前半）と言われているのである。封じられた世界史の目標と意味は、小羊、つまりイエスによって解かれる。

イエスによって解かれるとは、どういうことであろうか？　新しい歌の内容が、これを示唆している。すなわち、「あなたは、屠られて、あらゆる種族と言葉の違う民、あらゆる民族と国民の中から、御自分の血で、神のために人々を贖われた」（9後半）。

つまり、イエスは自ら十字架の苦しみを引き受け、肉を裂き血を流すほどに、この世界とそこに生きているすべての人を愛された。この世界は、そのために一度そして永遠に彼の尊い血が流された世界であり、そこに生きる一人一人の人間は、そのために一度そして永遠に彼の尊い血が流された人間である。もうこれ以上、血が流されてはならない。世界史の意味はここにある。

少し先走るようだが、21章には「終末の日」について、次のような慰め深い約束が書かれていることに注目したい。「見よ、神の幕屋が人の間にあって、神が人と共に住み、人は神の民となる。神は自ら人と共にいて、その神となり、彼らの目の涙をことごとくぬぐい取ってくださる。もはや死はなく、もはや悲しみも嘆きも労苦もない。最初のものは過ぎ去ったからである」（21・3―4）。小羊の尊い血が流されたこの世界は必ずこのようになる、というのである。これが世界史の意味なのだ。憎しみが愛に、いさかいが赦しに、分裂が一致に、疑惑が信頼に、誤りが真理に、絶望が希望に、闇が光に、悲しみが喜びに変わる日が必ず来る。イエスが愛したこの世界、彼がそのために苦しみ、血を流した世界は、あてもなくさ迷っているのではなく、この約束の下で目標に向かっている。この約束が世界を支配しているのである。

「新しい歌」は、このことを先取りしている。

ここで、「あらゆる種族と言葉の違う民、あらゆる民族と国民の中から」という言葉について、特に考えておきたい。これは、種族の違いや言葉の違いを超えて、すべての民族、すべての国民に神の約束が与えられているという意味であろう。

いつぞやの新聞に、ワールドカップ「イングランド対ブラジル」戦に先立ってBBC放送が英国国教会の典礼学者ジェレミー・フレッチャー師の祈祷を紹介した、という記事が載っていた。

フレッチャーはこう祈ったらしい。「神よ、ブラジルに勝利を与えたもうな」。「神よ、ブラジルの選手に恐怖を与えたまえ」。「神よ、その手を挙げて、ロナウドとリバウドの力を弱め、ロナウジーニョを混乱させたまえ」。「神よ、これらがかなわなくても、土壇場で、たとえオフサイドとおぼしいものであっても、イングランドにゴールを与えたまえ」。

私はこれを読んだとき、悪い冗談だと思って笑ってしまった。ところが、どうも冗談ではないらしい。教会が国のために祈るということは、「キリスト教的ヨーロッパ」では長い伝統であった。英国国教会の祈祷文の冒頭には「女王のための祈り」がある。戦時には、もちろん勝利のために祈る。サッカーの勝利のために祈るのも教会の使命だと考えているのかもしれない。この祈りは聞かれなかったようだが。

我々も国のために祈る。しかし、その祈りは単に「愛国的な祈り」であってはならない。「国のために祈る」ということは、この国が本当に正しい国、正義と公平を実現する国となるように、従って、すべての民族、すべての国民と共に平和を創り出すことができるように、と祈ることである。黙示録が、「聖なる者たちの祈り」を「香」に喩《たと》えている（8）ことに留意したい。

最後に、12節と13節に歌われている大合唱について一言したい。周知のように、これはヘンデルの《メサイア》で使われた。《メサイア》が国境を越えて全世界で愛されているように、この賛歌は、国境を越えたイエスの愛に対する賛美に他ならないのである。

# 13　青白い馬が現れた

6・1―8

5章で、ヨハネは神の右手にある巻物が七つの封印で封じられている幻を見た。世界史がどこへ向かうのか誰にも分からない、ただ、小羊、つまりイエスだけが、世界史の隠された秘密を読み解くことができるという比喩である。

6章に入ると、その小羊が封印を一つ一つ解き始める。

小羊が第一の封印を解いたとき、「見よ、白い馬が現れ、乗っている者は、弓を持っていた」（2）。

これはどういうことだろうか？

ヨハネ黙示録では、「白」い色は三通りに使い分けられている。第一に、天的栄光の象徴として（1・14）、次に勝利のシンボルとして（2・17）、そして第三に純潔のシンボルとして（3・4）。その直後に、「冠を与えられ、勝利の上に更に勝利を得ようと出て行った」（2）という言葉が続くところから見て、「白い馬」はまた、「勝利者」をも意味するであろう。だが、「勝利者」とは誰か。

「勝利者」とか「白い馬」には非常に颯爽《さっそう》としたイメージがあるから、我々はつい、これはキリストではないかと考えたくなる。しかし、この後に出てくる三頭の馬がいずれも不吉な出来事を暗示していることから見ても、「白い馬」だけにプラスのイメージを持たせることには無理があるだろう。むしろ、ヨハネはここで、歴史的な出来事を連想して書いたのではないかという注解者たちがいる。この見方は捨て難い。それは、かつて無敵を誇ったローマ軍団が、東の国境において弓で武装したパルティアの騎兵隊に惨敗したという出来事である。

だから、「白い馬」は、無敵のローマ軍団に勝利する新しい力を象徴しているようでもある。これは、神の備えたもう輝かしい終末の予兆でもあるが、差し当たりローマ帝国にとっては不吉な幻である。いずれにせよ、ローマ帝国といえども、永遠ではない。地上の歴史には転機が訪れる。「白い馬」はその転機の象徴ではないか。

次に、小羊が第二の封印を解いたとき、「火のように赤い別の馬が現れた」(4)。「赤」は血の色である。しかも乗り手には、「地上から平和を奪い取って、殺し合いをさせる力が……また、……大きな剣が与えられた」(4)と言われている。地上の歴史には流血の惨事や大量殺戮《さつりく》がつきものである。先にパルティアの騎兵隊がローマ帝国を震撼《しんかん》させたが、それ以外にも、外敵の侵攻や戦争によって絶えず平和が破壊されるだろう。「火のように赤い馬」は、このことの象徴だ。

さらに、小羊が第三の封印を解いたとき、「黒い馬」が現れた。ゼカリヤ書6章にも黒い馬が出てくる。ヨハネは単にその色を採用したに過ぎないのかもしれない。しかし、黒は飢饉《ききん》のシンボルカラーであるとも言われる。飢饉が来る。

黒い馬に乗っている者は、「手に秤を持っていた」(5)。秤は食糧が不足した時に公平に分配するための道具である。そして、不思議な言葉が聞こえてくる。「小麦は一コイニクスで一デナリオン」(6)。一コイニクスは、聖書巻末の「度量衡」表によれば、約一・一リットル。一デナリオンは、当時、成人の労働者が一日働いて得る賃金に相当する。飢饉のために食糧の値段が高騰し、一日汗水流して働いても、わずか小麦一リットル、大麦三リットルにしかならないという悲痛な嘆きの声である。「オリーブ油とぶどう酒とを損なうな」というのも、飢饉の時は無駄遣いするなという警告であろう。

小羊が第四の封印を解いたとき、「青白い馬が現れ、乗っている者の名は『死』といい、これに陰府が従っていた」(8)。「青白い」というのは、元来「うす緑色」のことで、死人の顔色だ。死の影が地上を覆う。その四分の一は、死に支配される。

個々の言葉の意味については大体説明した。しかし、根本的な問題が残っている。ヨハネはここで、「封印された世界史の意味をキリストが解いてくださる」と言っているのである。キリストが解き明かす世界史の行方は、白い馬、赤い馬、黒い馬、青白い馬によって象徴されるような不吉なものだ、ということなのだろうか？　「彼らには……剣と飢饉と死をもって、更に地上の野獣で人を滅ぼす権威が与えられた」（8）とあるように、この世界の歴史は死と滅びに向かって進んでいるのだろうか？

確かに、我々の世界の現実に近いのはこっちの方だ。ほとんどそのままを描いたと言ってもいいほどである。乗り手が大きな剣をもった赤い馬！　これこそ我々の世界ではないか。戦争は際限もなく繰り返される。人類の歴史が始まって以来、全く戦争のない本当に平和な時代がどのくらいになるか、計算をした人がいる。合計二〇〇年ぐらいに過ぎない、という。特に二十世紀は「戦争の世紀」だった。

あるいは、黒い馬！　戦争は最大の環境破壊であり、それは直ちに飢饉につながる。戦時には、自分の国の軍隊も信用できない。彼らは必要とあれば村々を破壊し、家に火をつけ、畑を踏みにじり、収穫前の田を目茶苦茶に荒らすであろう。アフリカ各地の内戦では、民衆は飢えた。今も、どれだけ多くの人が飢えているか見当もつかない。

そして、その最後は青白い馬だ！　死が世界の四分の一を覆う。

これらは確かに、我々の世界の現実を、あるいは人類の不安をそのまま描いたと思われるくらいだ。だが、黙示録は言う。我々は赤い馬・黒い馬・青白い馬を見るような経験を重ねるが、それが最後ではない。それを潜《くぐ》り抜ける。死の支配は地上に広く及ぶが、全部ではない。四分の一である。そして最後には、新しい天と新しい地が現れる（21・1以下）。これこそ、世界史の真の行方なのである、と。

# 14 静かに待つ　6・9—17

神の右手にある世界史の行方を記した巻物は、七つの封印で封じられていて誰にも読めない。小羊、つまりイエスだけが、それを読み解くことができる。そして、彼は封印を次々に開き始める。それがヨハネの見た幻であった。

第一の封印を開いたとき、白い馬が現れ、第二の封印を開いたとき赤い馬が、第三の封印を開いたとき黒い馬が、第四の封印を開いたとき青白い馬が現れた。キリストが解き明かす世界史の行方は、差し当たりは、これら四色の馬によって象徴されるような、不安と戦争と飢饉《ききん》と死である。この幻は、我々の世界の現実をほとんどそのまま言い当てているのではないかとさえ感じられる。

だが、それが最後ではない、と黙示録は言う。死の力は地上を広く覆うが、全部というわけではない。四分の一に過ぎない。そして、それを潜《くぐ》り抜けるようにして、最後には新しい天と新しい地が現れる。これこそ世界史の真の行方なのだ。

この節では、小羊は続けて第五の封印を開く。すると、天にある「祭壇の下」、つまり神に最も近いところに、「神の言葉と自分たちがたてた証しのために殺された人々の魂」(9)が見えた。この人々は神の言葉を語ったために、あるいは「イエスは主である」と証言したために殺された殉教者である。この世界は実に夥《おびただ》しい殉教者を生み出すような世界である。イエスは十字架の死が近づいてきたある日、そのことを嘆いて、「正しい人アベルの血から、……バラキアの子ゼカルヤの血に至るまで」(マタイ23・35)、どれほど多くの正しい人の血が地上に流されたことかと言った。「エルサレム、エルサレム、預言者たちを殺し、自分に遣わされた人々を石で打ち殺す者よ」(同23・37)。そして、イエス自身も同じようにして殺されたのである。

二十世紀は大量虐殺(アウシュヴィッツ、南京、広島、長崎等々)によって歴史に残ることは確かだが、多くの殉教者を出したことでも記憶されるだろう。その中でも、コルベ神父、ボンヘッファー牧師、キング牧師、及びロメロ大司教の四人が、カトリック・プロテスタントの双方で、二十世紀の殉教者の代表として記念される。

コルベ神父は長崎でも働いたことのある修道士だが、アウシュヴィッツで飢餓刑に決まった一人の囚人が家族のことを思って余りに嘆き悲しむので、身代わりになると申し出て生命を捧げた。ボンヘッファー牧師は、ナチスの暴虐に抵抗して捕らえられ、獄中でイエス・キリストを証しし、敗戦直前三十九歳の若さで処刑された。キング牧師は言うまでもなく、アメリカにおける公民権運動をイエスの教えに忠実に非暴力で推し進めた代表的な指導者であるが、同じく三十九歳の時に暗殺された。ロメロ大司教は中米エルサルバドルの大司教として、特権階級が富と権力を独占していることを公然と非難し、貧しい人々の権利を擁護した。そのために憎しみを買い、一九八〇年、ミサをあげている最中に独裁者の手先によって自動小銃で蜂の巣のようにされた。

この四人に限らない。多くは無名だが、どれほどたくさんの正しい人々が苦しめられ、生命を奪われたか分からない。それら殉教者たちの魂が、天で、神の直ぐ傍で、純白の衣をまとって、神に向かって大声で叫んでいる、というのである。「真実で聖なる主よ、いつまで裁きを行わず、……わたしたちの血の復讐をなさらないのですか」(10)。

「わたしたちの血の復讐」という言い方はイエスの教えにはそぐわないと、抵抗を感じる人も多いかもしれない。しかし、「復讐する」の原語「エクディケオー」は、「法を無視して」とか「不正に」という意味の言葉から来ている。殉教者を生み出すようなことは、本来無法な状態なのであり、「このように正義が無視された不正な状態をいつまであなたは放っておかれるのですか」というのが、殉教した人々の叫びの本来の意味なのではないか。

それに対して答えがあった。「自分たちと同じように殺されようとしている兄弟であり、仲間の僕《しもべ》である者たちの数が満ちるまで、なお、しばらく静かに待つように」(11)というのである。要するに、まだまだ殉教者は出る。だが、やがてその「数が満ちる」。つまり、神が「もういいだろう」と判断される時が来る。その時までは、人間が先走って神の裁きを代行するようなことをしてはいけない。我々はどんなにしばしばいきり立ち、先走って人を裁くことだろう！　だが、やがて神ご自身が裁かれる。その時が来ることを信じて、静かに待たねばならない。終末論的な生き方の特徴は、正にここにあるのである。

さて、小羊が第六の封印を開いたとき、「大地震が起きて、太陽は毛の粗い布地のように暗くなり、月は全体が血のようになって、天の星は地上に落ちた」(12―13)。ユダヤ教黙示文学では、「社会的不安」と共に、こういった「天変地異」が終末の予兆とされていた。

戦争や飢饉などの「社会的不安」や「天変地異」はいつの時代にもある。それは、我々の住んでいる世界が絶対不変のものではなく、終わりがあるということを考えさせるという意味で、「予兆」である。だが、これは「予兆」に過ぎない。これを極端に強調して「世の終わりが来た」と言い、人々の不安を掻《か》き立てるのは正しくない。終わりはただ神の手の中にある。そのことを信じて静かに待つことが、ここでも正しいのである。

# 15 神のもとにあるいのち　7・1―8

6章では、小羊が第五と第六の封印を開いたことについて考えた。天にある祭壇の下に殉教者たちが現れ、彼らの魂が天に昇り、神の直ぐ傍で純白の衣をまとって大声で、「真実で聖なる主よ、いつまで裁きを行われないのですか」と叫んでいたという（6・10）。

この殉教者たちの祈りに対して、「自分たちと同じように殺されようとしている兄弟であり、仲間の僕《しもべ》である者たちの数が満ちるまで、なお、しばらく静かに待つように」（6・11）という答えが返ってくる。まだまだ殉教者は出るだろう。だが、やがてその「数が満ちる」。そして、神の裁きが行われる。その時までは、しばらく静かに待つように、というのである。

続いて「天変地異」が見えた。それはいつの時代にもあることだが、ヨハネは来るべき「終末の予兆」と理解して、終わりはただ憐れみ深い神の手の中にあるのだから無闇に恐れたり慌てたりせず、静かに待つようにと勧める。

さて、小羊が第七の封印を開いたとき何が起こったかは、8章に書かれている。その前に、いわば

「間奏曲」として、今日の第7章がある。

「この後、わたしは大地の四隅に四人の天使が立っているのを見た。彼らは、大地の四隅から吹く風をしっかり押さえて、大地にも海にも、どんな木にも吹きつけないようにしていた」(1)。

この時代、世界が球形をしていると考えた人は一人もいなかった。世界は、「天」と「地」と「地の下」という三層の構造を持っていて、しかも、大地は四角の平面である。その四隅から吹いてくる風が大地に災害をもたらすと考えられていた。ダニエル書に、「ある夜、わたしは幻を見た。見よ、天の四方から風が起こって、大海を波立たせた。すると、その海から四頭の大きな獣が現れた」(7・2)とあるのはその一例である。

ヨハネが見たのも、四人の天使が大地の四隅をしっかり押さえている幻である。そこへもう一人の天使が「太陽の出る方角」(2)、つまり生命と光が現れる方角から上って来て、力強い言葉を語る。「我々が、神の僕たちの額に刻印を押してしまうまでは、大地も海も木も損なってはならない」(3)。我々の住む大地は、滅びと隣り合わせのようではあるが、天使によって守られている! これがヨハネの信仰だったのである。

二〇一三年秋には、二つの台風が日本を襲った。つくづく、我々は自然災害の多い所に住んでいると思う。台風だけではない。度々地震があり、津波が襲い、火山が噴火する。こういうニュースを聞く度に、自分たちがいかに脆弱《ぜいじゃく》な基盤の上に生活しているかということをあらためて認識する。黙示録の舞台であった小アジア地方も、同様であった。

しかし、この世界は「のべつ幕なしに」災害によって破壊されているというわけではない。「無事な」日々と「災害が襲う」日々とを比べれば、むろん、無事な日々の方が多いのである。この世界は、我々が「生きていけないように」ではなく、いろいろ問題はあるにしても、基本的には「生きていけるように」神によって造られている。そして、今日のところでは天使が、「神の僕たちの額に刻印を押してしまうまでは、大地も海も木も損なってはならない」(3)と言う。「刻印」とは、神の加護の下にあるということのしるしである。

ところで、この加護は「神の僕たち」、つまりキリスト教徒だけに限定されているかのような印象を受ける人も多いかもしれない。イスラエルの十二部族の名が挙げられているが、ヨハネは、キリスト教徒たちを「新しいイスラエル」と見ていたから、ここでキリスト教会のことを考えていたのは事実であろう。それぞれの部族から一万二千人、合計十四万四千人という数字は「完全数」だ。だからヨハネは、ローマ帝国による迫害で苦しんでいるすべてのキリスト教徒たちを慰め、励ます意味で、「神の僕たちの額に刻印」が押される、つまり神のご加護がある、と言ったのであろう。

だが、この世界は言うまでもなくキリスト教徒だけのものではない。大地も海も木も、すべての民族、すべての人間、すべての生き物が生きていくためにある。「大地も海も木も損なってはならない」という言葉には、このように大きく、広い意味がある。この点に注意しなければならない。

以前、ある新聞に「中佐の腎臓」という報告が五回にわたって連載されたことがある。イスラエル陸軍の退役中佐ゼーブ・ビデル（四十八歳）が家族とホテルで食事中自爆テロに遭い、次女と長女の婚約者、甥の三人が即死、長女と妻は重傷を負う。ビデル中佐自身は頭に爆弾の破片を浴びて病院に収容されるが、六日後、意識不明のまま息を引き取った。呆然としている長男に向かって医師が言う。「父上の損傷は脳だけで、他の臓器（心臓、肝臓、角膜……）は健全です。今それを必要としている人たちがいる。どうしますか」。長男は了承した。その後で医師が言い難そうに、「腎臓は二人に移植しますが、一人はパレスチナ人です。それでもいいですか」と言う。長男はこれも了承した。「父はいつも、命は命だと言っていました。ユダヤ人もパレスチナ人も関係ないと」。

こうして彼の腎臓は、東エルサレムに住むパレスチナ人主婦アイシャ・アブカデル（五十四歳）に移植されることになる。人工透析を受けなければ生きていけないこの女性は、病院に向かう救急車の中で嬉しさのあまり泣き続けたという。

命は命である！　民族や宗教や身分に関係なく、すべての人間、すべての生き物が生きていくことを神は望まれる。天使が大地を守るのは、このためではないか。

# 16　神が涙をぬぐわれる

7・9—17

小河陽氏の翻訳による『ヨハネの黙示録』（岩波書店）には、ほとんどすべての章に図像が添えられている。多くは十世紀から十七世紀頃までの写本に載っている絵だが、そのほかに祭壇画もあるし、タペストリーもある。全部で八十数点に及ぶ。これを見ると、古代や中世のヨーロッパの人々が、黙示録によって大いに想像力を刺激されたことが分かる。それほど、黙示録には色彩豊かな絵画的世界が繰り広げられているのである。

しかし同時に、黙示録はきわめて音楽的でもある。前項で、7章は小羊が第七の封印を開く前のいわば「間奏曲」だと言ったが、「間奏曲」（インテルメッツオ）といっても、気分転換のための軽いものではない。10節や12節は堂々たる大合唱だ。ヘンデルが《メサイア》を書く時、黙示録から刺激を受けて、「ハレルヤ」を始め多くの合唱曲を作曲したこともよく理解できる。

この箇所の初めにも、「あらゆる国民、種族、民族、言葉の違う民の中から集まった、だれにも数えきれないほどの大群衆が、白い衣を身に着け、手になつめやしの枝を持ち、玉座の前と小羊の前に立っ」た(9)とある。これを読んだ私は、大編成の混声合唱団を思い浮かべた。あらゆる国民、種族、民族、言葉の違う民の中から集まったたくさんの人々が、白いユニフォームを着て、手に手になつめやしの枝を持ってステージに上り、玉座の前、つまり指揮者の前に立っているところだ。指揮者の故・山本直純さんは、千人の合唱団を指揮して《第九交響曲》を演奏したことがあるそうだが、ここでは「十四万四千人」である。だが、音楽の比喩はここで終わりにする。

この大群衆は、長老の一人が「彼らは大きな苦難を通って来た者で、その衣を小羊の血で洗って白くした」(14)人々だと説明しているように、殉教者たちである。

そこで、殉教者についてさらに考えてみたい。

一般的には、「殉教者」はキリスト教徒に限らない。旧約聖書にも、エレミヤのように真実を語ったために迫害され、殺されたユダヤ人の預言者たちが出てくるし、仏教にも、権力者によって殉教に追い込まれた僧たちがいた。特に注目したいのは、イスラームの場合である。最近では、「自爆テロ」を決行する人は殉教者と称えられる。殉教とは、「大義に殉じる」ことだという理解が、そこにはある。

だが、キリスト教における「殉教者」は、単に「大義に殉じた人」ではない。「その衣を小羊(＝イエス)の血で洗って白くした」(14)と言われているように、殉教者はイエスの死を通して純化されている。それはどういうことか？

イエスはモーセ律法の解釈をめぐって当時のユダヤ教指導部と対立したために宗教裁判にかけられ、十字架刑に処せられたが、これは、ただ「自らの信念に殉じた」とか、「大義に殉じた」というだけのことではない。彼は、モーセ律法を完成し、徹底すること（マタイ5・17以下）、つまり、愛を徹底することを目指していたのである。

たとえば、「殺すな」という律法は、ただ「殺人」を犯さなければいいというものではない。腹を立てたり罵《ののし》ったり憎んだりすることさえもしない、ということである。「隣人を愛し、敵を憎む」ことを当然と考えるのではなく、「敵を愛し、自分を迫害する者のために祈る」（マタイ5・44）という所まで、愛を徹底しなければならない。彼はこのように教え、自分でも実践した。正にそのことが当時の宗教指導者たちの不興を買い、殺されたのである。

しかし、イエス自身は、この死には「すべての人の罪を代わって負う」という意味があると自覚していた。だから彼は、苦しみの杯を最後の一滴まで飲み干し、この理不尽な死を黙って味わい尽くし、自分をこのような目に遭わせた人々のために赦しを祈りながら息絶えた。

このイエスに目を留めるとき、我々にとって殉教は単に民族の「大義に殉じる」ことではなくなる。それは「敵をも愛するために死ぬ」ことだ。「その衣を小羊の血で洗って白くする」というのは、そのような意味であろう。コルベ神父、ボンヘッファー牧師、キング牧師、ロメロ大司教といった人たちも、主イエスに倣って愛することを徹底しようとし、そのために命を捧げた人たちである。憎しみのために命を捧げても、それを殉教とは呼ばない。

使徒言行録は、殉教の代表的な例としてステファノを挙げている。彼は不当にも、神を冒瀆《ぼうとく》したかどで最高法院に訴えられる。法廷で聖書に基づいて堂々たる弁論を展開するが、結局石打ちの刑に処せられる。しかし、「人々が石を投げつけている間、ステファノは主に呼びかけて、『主イエスよ、わたしの霊をお受けください』と言った。それから、ひざまずいて、『主よ、この罪を彼らに負わせないでください』と大声で叫んだ。ステファノはこう言って、眠りについた」(使徒7・59—60)。

これらの殉教者たちは、この世では居場所がなかった。しかし、天の神の前では、つまり「永遠の相のもとでは」、その正当性を認められる。我々はこのことを信じたい。

最後の言葉は、我々に慰め深く真実を告げる。

「彼らは神の玉座の前にいて、昼も夜もその神殿で神に仕える。玉座に座っておられる方が、この者たちの上に幕屋を張る。彼らは、もはや飢えることも渇くこともなく、太陽も、どのような暑さも、彼らを襲うことはない。玉座の中央におられる小羊が彼らの牧者となり、命の水の泉へ導き、神が彼らの目から涙をことごとくぬぐわれるからである」(15—17)。

# 17　聖なる者たちの祈り

8・1―5

「屠《ほふ》られた小羊」、つまりイエスが第一から第六の封印まで次々に開いて世界史の隠された意味を解き明かし（6章）、7章の間奏曲で一息ついた後、8章に入る。いよいよ「小羊が第七の封印を開く」のである（1）。そのとき、「天は半時間ほど沈黙に包まれた」という。これはどういうことか？

すべての宗教において沈黙は重要な意味を持っている。絶対者の前では、人間の小賢しい言葉は沈黙せざるを得ない、ということであろう。――以前出席した研修会で夜の礼拝を担当した牧師が、これから「沈黙の祈り」に移ると言い、その必要性について延々と話した。そのために肝心の「沈黙の祈り」のための時間がほとんど無くなってしまったことがある。沈黙の意義についての饒舌《じょうぜつ》！　私も、このような矛盾を犯さないように気をつけなければなるまい。

マックス・ピカートというスイスの思想家は『沈黙の世界』（一九四八年）において、「沈黙とは単に〈語らないこと〉ではなく、それ自体一つの積極的な、充実した世界である」と言い、「言葉は、この溢れるような沈黙から生まれてくる」という名言を書いた。旧約聖書の言葉を聞くとき、本当にそうだと実感する。

ハバクク書2章20節にも、「主はその聖なる神殿におられる。全地よ、御前に沈黙せよ」と言われている。神の創造的な臨在に直面するとき、人間の饒舌は止まなければならない。あるいは、ゼカリヤ書2章17節には、「すべて肉なる者よ、主の御前に黙せ。主はその聖なる住まいから立ち上がられる」とあるし、ゼファニヤ書1章7節にも、「主なる神の御前に沈黙せよ。主の日は近づいている」と命じられている。神が立ち上がって救いの業を始められるとき、我々はただ感謝し、希望して沈黙する他はない。終末の裁きが始まるとき、我々は沈黙しなければならない。このことが天で起こっている。それがこの箇所の意味である。「小羊が第七の封印を開いたとき、天は半時間ほど沈黙に包まれた」。

「半時間ほど」というのは、限られた時間を意味する。天では、沈黙がしばらく支配した後で、次の動きが始まる。ヨハネは、「七人の天使が神の御前に立っているのを見た。彼らには七つのラッパが与えられた。また、別の天使が来て、手に金の香炉を持って祭壇のそばに立つと、この天使に多くの香が渡された」(2―3)。そして、この天使が「すべての聖なる者たちの祈りに添えて」(3)香を神に捧げた、と言う。

「聖なる者たち」とは、7章14節によると、「大きな苦難を通って来た者で、その衣を小羊の血で洗って白くした」人々、つまり、殉教者である。この人たちの祈りは、5章8節にも「この香は聖なる者たちの祈りである」と言われているように、天に立ち上る良い香になぞらえられる。素晴らしい比喩ではないか。香の煙は万遍なく拡散することはない。一筋に立ち上る。「香の煙は、天使の手から、聖なる者たちの祈りと共に神の御前へ立ち上った」(4)。旧約聖書には、動物の肉を焼く良い匂いが天に上って神を喜ばせるという素朴な発想があり、それが「焼き尽くす献げ物」の起こりであるが(創世記8・20)、それとも共通する。祈りは一筋の煙になって天に立ち上る。

祈りは、周りにいる人々に万遍なく聞かせるための弁舌や所信の表明ではない。イエスが「あなたが祈るときは、奥まった自分の部屋に入って戸を閉め、隠れたところにおられるあなたの父に祈りなさい。そうすれば、隠れたことを見ておられるあなたの父が報いてくださる」(マタイ6・6)と教えられた。もちろん、会衆の面前での祈りを否定されたわけではない。祈りは、単独の祈りであれ公の祈りであれ、「ただ神にだけ聞いて頂きたい」という一筋の願いであるべきだ、と言っておられるのである。だから、言葉数を多くする必要はない。イエスは「くどくどと」祈ることを禁じられた。たどたどしい言葉でも構わない。ただ神のみを見上げて心から発せられる一筋の言葉であればいい。ルターが言ったように、「たとえ言葉にならない、うめきでしかない祈りでも、天に昇り、高らかに鳴り響き、神の耳に達する」のである。

最後に、「天使が香炉を取り、それに祭壇の火を満たして地上へ投げつける」（5）という言葉に注目したい。これは殉教者たちの祈りが聞かれて、神の裁きが始まることを意味している。殉教者たちの祈りは、6章10節によると、報復の叫びとよく似た激しいものだ。「いつまで裁きを行わず、……わたしたちの血の復讐をなさらないのですか」。だが、これは単に復讐を求める祈りではない。むしろ、殉教者を生み出すような世界は、本来神がお許しにならない、という意味であろう。殉教者は、「この不法な状態をいつまでも放置しないでください」と祈っているのである。その祈りを神は聞き、正しい裁きを始められる。

# 18　天使がラッパを吹くとき

8・6―13

小羊が第七の封印を開いたとき、ヨハネは「七人の天使が神の御前に立っているのを見た。彼らには七つのラッパが与えられた」（2）。この七人の天使たちが、ラッパを吹き鳴らす。だが、「ラッパを吹く」とはどういうことだろうか？

旧約聖書にはラッパがしばしば出て来るが、特に「終末の日」と関連して吹かれることが多い。たとえば、ヨエル書1章15節以下は、「主の日が近づく」ことを述べた箇所であるが、終末の裁きが始まる合図として「角笛（ラッパ）を吹け」と言われている（2・1）。

この箇所はこの旧約の伝統を受け継いでいるであろう。最初の四人の天使がラッパを吹くと、さまざまな自然災害が起こるが、これは「終末の裁き」が始まる前触れである。そして、この「終末の裁き」こそは、ヨハネ黙示録全体の主題なのだ。

だが、ここで大切なことを言っておかなければならない。

「主の日が近づく」とか、「裁きが始まる」とか、その「前兆として災害が起こる」ということを聞くと、私たちは恐怖を感じる。聖書には、苦しむ人を励ましたり慰めたりする言葉があれほどたくさんあるのに、他方ではどうしてこんなに不吉な、恐ろしい言葉があるのだろうか。この矛盾に困惑を感じる人も多いだろう。だが、このような「神の裁き」の思想は、実は「救い」の約束と矛盾するものではない。むしろ表裏の関係にあるのである。

ドストエフスキーの『罪と罰』には、ソーニャという若い女性が登場する。父親は呑んだくれ、母親は精神を病んでいる。ソーニャは長女で、幼い妹や弟たちが大勢いる。この惨めな家庭の生活を支えるために、彼女は娼婦になる。その彼女と、金貸しのお婆さんを殺して金を奪ったラスコーリニコフという青年が出会う。彼は一方でソーニャの無垢な心に打たれているが、わざと意地悪なことを言って彼女を苦しめる。「お前の妹たちも、いつかお前と同じようになるのがオチさ」。

すると、彼女は体を震わせ、声を絞り出すようにして、「いいえ、そんなことは神様がお許しになりません」と言うのである。ああ、この理不尽な苦しみ。それが幼い妹たちにも及ぶという非条理。「そんなことは神様がお許しになりません」！　本当はあってはならない苦しみを、神がそのままに放置しておかれるはずはない。「あってはならないこと」は取り除き、「あるべき姿」をこの地上に回復させてくださる。

これが「主の日が来る」という思想の意味なのであり、それは「救いの約束」と表裏一体なのだ。

この意味で、聖書の終末論はいたずらに人を怯《おび》えさせる「おどしの言葉」ではなく（ある宗教はこの教説を悪用する！）、「希望の教え」（熊野義孝）なのである。

さて、四人の天使がラッパを吹いたとき、何が起こったか？

第一のラッパと共に「血の混じった雹《ひょう》と火とが」（7）地上に投げ入れられて地上の三分の一が焼け、第二のラッパのときは「火で燃えている大きな山のようなもの」（8）が海に投げ入れられて海水が血に変わり、第三のラッパが吹かれると「松明のように燃えている大きな星が」（10）川や水源の上に落ちてあらゆる水源の水を汚染し、第四のときは太陽と月と星の「三分の一が損なわれ」（12）て地上は暗くなった。

こうした天変地異は、もしかしたらその頃実際に起こった出来事を反映しているかもしれない。たとえば、「火で燃えている大きな山のようなもの」（8）は、紀元七九年のヴェスヴィオ山の噴火による溶岩流を思わせる。しかし、このように直接にそれらの自然災害と結びつけても大して意味があるとは思えない。

ついでに言えば、これら黙示録の記述を現代世界で起こっているさまざまな現象と結びつける解釈もある。たとえば、三宅島の噴火や有毒ガス、有明海の水質汚染と生物の死滅、東日本大震災による大被害、地球温暖化現象などである。確かに思い当たる点もないではない。特に興味深いのは、「苦よもぎ」(11)だ。ロシア語で「チェルノブイリ」という。ある文学者はこのことに気づき、チェルノブイリ原子力発電所の重大事故による環境汚染は既に黙示録に預言されていたのではないか、と言ったことがある。このような読み方は、現代世界に対する警告としては意味があるが、下手をすれば「こじつけ」になる。「こじつけ」は、聖書の正しい読み方とは言えない。

我々はむしろ、これらの災いが旧約聖書の伝統を取り入れる形で描写されたということに注目すべきであろう。たとえば、出エジプト記7章以下には、エジプトで奴隷とされていたイスラエル民族を解放するためにモーセが数々の奇跡——雹を降らせる、水を血に変える、疫病を広げる、地上を暗黒で覆うなど——を起こしたことが詳しく書かれている。

ある注解者が、黙示録の著者ヨハネが、ローマ帝国の迫害の下で苦しんでいるキリスト教徒たちをエジプトから解放されたイスラエル民族になぞらえた、と書いているが、これには十分な理由があるのではないか。

従って、ここに描かれた天変地異は、単に「恐ろしい破滅の前兆」などというものではない。イスラエル民族が奴隷の境遇から解放されたように、今苦しんでいるあなたがたもやがてその苦しみから解放される。その前兆を私は見た、とヨハネは言っているのであろう。

# 19 深い淵から　9・1―12

「第五の天使がラッパを吹いた。すると、一つの星が天から地上に落ちて来るのが見えた。この星に、底なしの淵に通じる穴を開く鍵が与えられ、それが底なしの淵の穴を開くと、大きなかまどから出るような煙が穴から立ち上り、太陽も空も穴からの煙のために暗くなった」(1―2)。これは、一体、どういうことなのだろうか？

この背後には古代ユダヤの世界観がある。大地は平らな板のようになっていて、その下には地下の世界があり、そこにはもろもろの悪霊が棲《す》んでいると考えられていた。それが「底なしの淵」である。地表のどこかに穴があって、普段は閉まっているのだが、一旦それが開かれると、地下に棲んでいる「おどろおどろしいもの」が姿を現す。「煙が穴から立ち上り、太陽も空も穴からの煙のために暗くなった。そして、煙の中から、いなごの群れが地上へ出て来た」(2―3)というのもそれである。

「いなご」は、今の日本にはもうほとんど見られないが、戦時中はよく田んぼで捕まえて、佃煮にして食べた。しかし、中近東では簡単に佃煮にされるほど容易な相手ではない。「飛蝗《ばった》」の恐るべき被害が時々報告されるが、いわば人間の方が「食われる」のだ！

　モーセがイスラエル民族を解放するためにいなごを呼び寄せたときの描写は凄まじい。「地は暗くなった。いなごは地のあらゆる草、雹《ひょう》の害を免れた木の実をすべて食い尽くしたので、木であれ、野の草であれ、エジプト全土のどこにも緑のものは何一つ残らなかった」（出エジプト記10・15）。ヨエル書1章4節にも「かみ食らういなごの残したものを、移住するいなごが食らい、移住するいなごの残したものを、若いいなごが食らい、若いいなごの残したものを、食い荒らすいなごが食らった」とある。

　ヨハネの見たいなごは、7―8節にあるように恐ろしく強そうな外観をしており、「その羽の音は、多くの馬に引かれて戦場に急ぐ戦車の響きのようであった」（9）という。これは誇張ではないだろう。いなごは、それほど恐ろしい存在だった。「底なしの淵」から現れる「おどろおどろしいもの」の代表として描かれたのも当然である。

　ただし、このいなごは青物や木は食べない（4）。その代わりに、「さそりのように、尾と針があって、……人に害を加える」（10）。「さそり」は、中近東ではいなごと並ぶ危険な存在である。このさそりの機能を備えたいなごが、「底なしの淵」から立ち上る煙の中から現れて、ちょうど「耳なし芳一」の耳のように「額に神の刻印を押されていない人」（4）を襲う。刺された人の苦痛は甚《はなは》だしく、

「死にたいと思っても死ぬことができず、切に死を望んでも、死の方が逃げて行く」（6）。

　さて、この「いなご」や「さそり」を、ある具体的な人間や歴史的な事実に強いて当てはめるのは「こじつけ」になり易い。それは重大な間違いにもつながる。ここでは、「いなごは、底なしの淵の使いを王としていただいている」（11）というヨハネの説明で十分であろう。この王の名は、「ヘブライ語でアバドン」という（11）。新共同訳では「滅びの国」（ヨブ記26・6）と訳されている言葉だ。「ギリシア語の名はアポリオン」。これも「滅ぼす者」を意味する。

　つまり、いなごは「滅ぼす者」の手下として「底なしの淵」から立ち上る煙の中から現れる。我々を滅ぼすような力が足元に潜んでいて、時としてそれが正体を現す、我々の世界はそのような世界である、ということであろう。重点はここにある。むろん、これらの描写は古代人の神話的な考え方に基づいており、一見、ありそうもないホラ話のように見える。だが、妙に現実味がありはしないか。

　我々は、日頃の生活を「十年一日のように平穏なもの」と感じたりする。だが、ある日突然、「底なしの淵」に通じる穴が開けられたように、「おどろおどろしいもの」が姿を現す。昔の漁師は「板子一枚下は地獄」と言ったが、実は、我々の生活の足元にも「底なしの淵」がある。我々は最近、しばしばそのことを思い知らされた。安心して食べていた牛乳や肉や野菜が、ある日突然、病原菌や農薬で大規模に汚染されていることが分かる。「絶対安全だ」と言われてきた原子力発電所が大震災で破壊され、放射能が広大な地域を汚染する、等々。

これらの出来事の背後には、もちろん人間の際限のない貪欲や、企業の利益のためには嘘で塗り固めようという精神が働いている。それがある日突然破れる。そして不気味な穴が開き、そこから「煙が立ち上り、太陽も空も穴からの煙のために暗く」なる。そう感じた古代人の感覚はまことに正常で、現代人よりも遥かに鋭敏だ。

だが、「底なしの淵」から現れるもので最も危険なのは、国家の権力である。ヨハネ黙示録が書かれた頃、皇帝礼拝がローマ全域で強要され、それを潔しとしない教会はドミティアヌス皇帝による迫害を受けていた。だからこそ、13章以下ではこの帝国は「海（混沌）の中から上る一匹の獣」として描かれたのである。戦時中の日本や、ナチス・ドイツ、あるいはスターリン支配下の旧ソ連のように、特定のイデオロギーが絶対化された所では、必ず「底なしの淵」の口が開いた。このようなものが人々に苦しみをもたらす。現在も実例は無数にあり、「拉致事件」もその一例だ。

だが、ヨハネが「五か月の間」（10）と書いている点に注意したい。これは、「限られた時間」という意味である。苦しみはしばらく続くだろう。だが、永久にということはない。いつか止む。そしてそれをもたらす悪しき力も、いつか必ず去って行くだろう。我々には、詩編130編の詩人が歌ったように、「深い淵の底から」主に向かって呼び続ける忍耐が必要なのである。

# 20 悔い改めを必要とする人類　9・13―21

「第六の天使がラッパを吹いた。すると、神の御前にある金の祭壇の四本の角から一つの声が聞こえた」（13）。この声は、「聖なる者たちの祈り」（8・4）に対する神の応答である。彼らの祈りは、祭壇で焚《た》かれる香の煙と共に神の御前へ立ち上って行く。神はそれに答えられる。

だが、神の答えは不吉である。「大きな川、ユーフラテスのほとりにつながれている四人の天使を放してやれ」（14）。すると、その四人の天使が「人間の三分の一を殺すために解き放された」（15）という。このことは我々を大いに困惑させる。

聖なる者たちは、一体、何を祈ったのか？　まさか「この世に災いが起こるように」、「大勢の人が苦しんで死ぬように」と祈ったのではあるまい。愛の神がそういうことを積極的に望んでおられるとは信じ難い。我々は困惑する。

しかし、この場面は、我々の世界の現実を示しているのである。この世ではしばしば、強大な権力や軍事力を持つ者がやりたい放題をする。貧しい人々や子供たちといった「社会的弱者」が苦しめられる。そういう現実がある。この現実に対して異議を申し立てる人々、たとえば旧約の預言者たちは、迫害され、投獄され、遂には殺されるなど、理不尽な苦しみを受ける。主イエスの十字架は、そうしたもろもろの出来事の究極的な形であった。これがこの世界の現実なのである。

恐らくなかなか納得できない人もいるだろうが、このような現実もまた、神の承認なしには起こらない。人間の思いを遥かに超えた計画によって、神は四人の天使を「人間の三分の一を殺すために」解き放つ。災害をもたらす許可を彼らに与える。

ところで、聖なる者たちの祈りは、「小羊（イエス・キリスト）が彼らの牧者となり、命の水の泉へ導き、神が彼らの目から涙をことごとくぬぐ」って（7・17）くださるということであった。この祈りは、最後には必ず聞かれる。御利益宗教が安易に約束するように調子よく事は運ばないが、神はそのような不正な苦しみを引き起こす人々を必ず裁く。先ほど私は、神は災いをもたらす許可を四人の天使に与えたという意味のことを言ったが、その災いは人間世界に対する神の裁きとして来るのである。こうして神の裁きが開始される。

だが、四人の天使が「ユーフラテスのほとりにつながれて」いたというのはどういう意味だろうか？　ユーフラテスは、今日のイラク中央部を貫いて流れる大河である。古代のユダヤ人は、「約束の地」の東にあるこの川が東の方から侵入して来る敵を防ぎ止める境界であると考えていた。そのほとりには、神に代わって敵対者に懲罰を与えるために四人の天使が「つながれて」いた。つまり、今まで神のコントロールの下にあったのだ。それが今や解き放たれて、裁きを代行する。「四人」というのは、東西南北の四方を受け持つという意味だろう。つまり、この「懲罰の天使」は全地に対して力を発揮し、今や神の御心に従わない全世界に対して裁きを行うのである。もちろん、この箇所を直ちに今日の政治情況に当てはめて解釈することはできない。これは「神の」裁きであって、人間の制裁ではない。

四人の天使たちは、「その年、その月、その日、その時間のために用意されていた」(15)という。歴史の支配者である神が懲罰を下す。その決定的な時《カイロス》のために天使たちは備えられているというのである。「二億」の騎兵を手勢として持ち、その兵士たちはそれぞれ、「炎」「紫」「硫黄」(17)の色をした胸当てをつけ、口から「火と煙と硫黄とを吐く」馬(17)、「蛇に似て頭がある尾」を持つ馬(19)に乗る。「火と煙と硫黄」は、聖書に出てくる災害の代表的なものだ。それによって、地上では人間の三分の一が殺される。

三分の一が殺される！ これは荒唐無稽な作り話ではない。我々は、大量殺戮《さつりく》を繰り返してきた愚かな世界の現実を直ちに連想することができる。その意味で、これは現実である。

埼玉県東松山にある「丸木美術館」は、丸木位里・俊夫妻が描いた「原爆の図」という渾身《こんしん》の連作を展示している。「原爆の図」だけではない。丸木夫妻は原爆の悲惨を描きながら、この世紀、同じ質の悲劇が世界の至る所で繰り返されてきたことに気づき、次第にその視線を広げて行かざるを得なかった。「南京大虐殺」、「アウシュヴィッツ」、「沖縄戦」、「水俣」。また、同じ広島でも、強制労働のために連れてこられて被爆した朝鮮の人々の遺体が長く放置されていたことを悼んで、カラスが遺体をついばみに来る無残な絵を描いた。だが、故郷に思いを残して死んで行ったこの人々の心を象徴するように、この絵の上の方には美しいチマチョゴリが空を飛んで行くところも付け加えられた。あるいは、捕虜になって広島に収容され、そこで被爆した米軍兵士たちが市民の憎しみを受けて竹槍で虐殺される場面を描いた絵もある。

人類の歴史は、何度こういう大量虐殺を繰り返して来たことであろう。「人間の三分の一が殺された」！　人類全体というわけではないが、これは世界の存立を脅かすほどの数である。過去に何度もこのような経験を繰り返しているのに、「殺されずに残った人間は、自分の手で造ったものについて悔い改めず、……偶像を礼拝することをやめなかった」(20)。つまり、自己の欲望やイデオロギーを絶対化することを止めず、「人を殺すこと、まじない、みだらな行い、盗みを悔い改めなかった」(21)。

神は、このように悔い改めようとしない人間世界を必ず裁かれるであろう。人類は、今こそ真の悔い改めを必要としているのである。

# 21 神の秘められた計画

10・1―11

不安の中で、ヨハネはある日曜日に幻を見たという。「幻を見る」ということは、聖書においては単なる心理的現象ではない。神が歴史を支配し導いてくださるという「信仰によって将来を見る」ことである。我々の世界の前途には堪え難い苦しみがあるだろう。だが、「神はすべてのものから、最悪のものからさえも、善を生まれさせることができ、またそれを望まれる」（ボンヘッファー）と信じる。そのように「将来」を信じる。ヨハネが見た幻とはこれであった。

彼は、5章で「七つの封印で封じられていた」巻物が、神の「右の手に」（5・1）あるのを見た。世界史の将来は、神以外には誰にも見えないという意味である。ヨハネが激しく泣いていると、「泣くな」という声が聞こえる。小羊、つまりイエス・キリストだけは「その巻物を開くことができる」（5・5）という慰め深い言葉であった。

イエス・キリストだけが世界史の将来を明らかにすることができる。これはどういうことか？

イエスは神の愛において世界を見た。愛の中にこそ世界史の意味も方向もある。「神は、独り子を世にお遣わしになりました。その方によって、わたしたちが生きるようになるためです。ここに、神の愛がわたしたちの内に示されました。……神がこのようにわたしたちを愛されたのですから、わたしたちも互いに愛し合うべきです」（第一ヨハネ4・9―11）。我々は先が見えない不安な現代に生きているが、今こそこのメッセージを真剣に受け止めるべきではないか。

さて、小羊は封じられた七つの封印を次々に開いていく（6・1以下）。「小羊が第七の封印を開いたとき」（8・1）、七人の天使がラッパを手にして現れ、彼らがラッパを吹くと次々に終末の前兆である災いの幻が見える。以上がこれまでのあらすじだ。

もちろん、世界史は破滅と絶望に向かっているということではない。最後には希望があるが、それに先立って苦しみが与えられる。苦しみは終末の希望の前兆に過ぎない。――この後、第七の天使がラッパを吹くと新しい災いのシリーズが始まるのだが（11・15以下）、それまでにはまだ少し間がある。10章はそれまでの幕間劇、または間奏曲である。

さて、この箇所でヨハネは、七人の天使たちとは別に、「もう一人の力強い天使が、雲を身にまとい、天から降って来る」（1）のを見る。彼は「頭には虹をいただき、顔は太陽のようで、足は火の柱のようで」（1）ある。これらは、神の顕現に際してよく用いられる聖書的表現である。「右足で海を、左足で地を踏まえて」いた（2）というのは、その力が全世界に及ぶという意味であり、「獅子がほえるような大声で叫んだ」（3）とか、「七つの雷が語った」（4）というのも、神の言葉の大きな力を表す。

これは一体、何を語っているのだろうか？　神の真実な言葉が本当に我々に出会うとき、我々は雷に打たれたように震えるということではないか。モーセがシナイ山で十戒を与えられたとき、「雷鳴と稲妻と厚い雲が山に臨み、角笛の音が鋭く鳴り響いたので、宿営にいた民は皆、震えた」（出エジプト記19・16）という。イザヤが預言者としての召命を受けたときも、「神殿の入り口の敷居は揺れ動き、神殿は煙に満たされた」（イザヤ書6・4）。パウロはダマスコ途上で突然、「なぜ、わたしを迫害するのか」（使徒9・4）というイエスの声を聞いたとき、地に倒れて目が見えなくなり、三日間はものも食べられなかった。このような神と人との出会いについて、聖書は多く語る。

恐らくヨハネはここで、圧倒的な神の言葉によって再び自らの使命を自覚させられ、雷に打たれたように震えたのだ。「もはや時がない。第七の天使がラッパを吹くとき、神の秘められた計画が成就する」（6―7）。このことを語るという使命を、彼は畏れをもって自覚させられたのである。「あなたは、多くの民族、国民、言葉の違う民、また、王たちについて、再び預言しなければならない」（11）。

だが、天使が語った言葉の内容を彼が書き留めようとすると、「書き留めてはいけない」（4）と禁じられた。これも興味深い。本当に大事なことを聞くとき、我々は一言一句も聞き逃すまいと、全神経を「聞くこと」に集中する。ノートを取る必要などないし、また、そんな余裕はない。こうして聞いた言葉の内容は、終生忘れることのできないものとなる。このような畏れとともに、ヨハネは「開かれた巻物を」(8)、つまり語るべき言葉を、天使の手から受け取るのである。そして彼は、天使の指図に従ってこの巻物を「食べてしまった」(10)。巻物は羊皮紙だったろうから、食べることなど普通は考えられない。だが、エゼキエルも同じことをした。多分、神の言葉を完全に自分の血肉にするという預言者の務めを形に表したものであろう。若い頃、変な友人がいて、『コンサイス英和小辞典』に載っている言葉を片っ端から覚えていき、覚えた頁は食べてしまった。英語を完全に自分のものにしたいという気持ちだろう。

ヨハネが食べた巻物の味は、「口には蜜のように甘かったが、食べると、わたしの腹は苦くなった」(10)という。これはこういうことであろう。——間もなく神の秘められた計画が成就して、終末が来る！　それには前兆として多くの苦しみが伴う。その意味で苦い。だが、「最後まで耐え忍ぶ者は救われる」(マルコ13・13)。苦しみを通して終末の完成という喜びが実現する(21・3—4)。だから、この上なく甘美なのである。

# 22　命の息が入る　11・1―14

11章でヨハネは先ず、「神の神殿と祭壇とを測り、また、そこで礼拝している者たちを数えよ」(1)と命じられる。これは、神の民(教会)に対しては神の加護があるということを忘れてはならない、という意味である。

「しかし、神殿の外の庭はそのままにしておけ。測ってはいけない。そこは異邦人に与えられた」(2)という言葉は、恐らく紀元七〇年にローマ軍が「この聖なる都(エルサレム)を踏みにじる」(2)という事実を反映しているであろう。苦難は直ぐそこまで迫って来る。

だが、その苦難は永遠に続くわけではない。「四十二か月」! あるいは「千二百六十日」。これは三年半に当たる。

三年半とは、完全数である七年の半分である。つまり、悪しき者の支配は永遠には続かない。仮にそういうことが起こったとしても、その期間は限られている。苦しみは避け難いが、それはやがて終わるのだ!

さて、その苦しみの間、神は「二人の証人に粗布をまとわせ、千二百六十日の間、預言させせ」る(3)という。「二人の証人」とは、「地上の主の御前に立つ二本のオリーブの木」(4)とか、「二つの燭台」(4)という言い方が示しているように、教会のことである。また、「粗布」は悔い改めのしるしとしてまとう衣である。つまり、この悪しき時代のただ中で、教会はそれを悲しみつつも、自らを悔い改めて真実を語り続けなければならない。そして、教会が語る言葉には、昔の預言者エリヤのように「雨が降らないように天を閉じる力」(6)が、あるいはモーセのように「水を血に変える力」(6)が与えられている、というのである。

果たしてそうだろうか、と疑問を感じる人もいるだろう。むしろ、教会はおざなりの言葉を語ってきたのではないか。だから、歴史上の教会は戦争や大量虐殺を防ぐことができず、貧富の差が広がって大半の富が富める者の手に収まるという社会的不公平が現れてもそれを是正することができず、地球環境の破壊が止めどもなく進むのにブレーキをかけることができなかったのではないか。

「告白教会」を例にとって述べてみたい。

この教会は、当初ニーメラーら抵抗派の牧師たちを結集した有志の連合で「牧師緊急同盟」と称していたが、一九三四年五月のバルメン、及び十月のダーレムにおける両度の告白会議において全国的な組織となり、組織的反ナチ闘争を展開した。最も尖鋭なメンバーはカール・バルト、マルティン・

ニーメラー、ディートリッヒ・ボンヘッファーであった。この「教会闘争」はある程度の力は発揮し得たが、バルトの国外追放（一九三五年）、ニーメラーの逮捕（一九三七年）などを機に三八年ごろから沈滞期に入り、遂には挫折するに至った。

そうなのだ。教会は弱い。

黙示録も、前記の二人の証人が「底なしの淵から上って来て彼らと戦」う獣（7）、つまり、悪魔的な反キリストの勢力に負けてしまう、と書いている。教会は、彼らの「主も、……十字架につけられた」（8）あの都の大通りに、見るも無残な姿で見捨てられて横たわる。地上の人々は「大いに喜ぶ（10）。「この二人の預言者は、地上の人々を苦しめたからである」（10）。真実を語る者は嫌がられるのだ。

だが、「三日半たって」（11）、つまり、限られた時が経つと、「命の息が神から出て、この二人に入った」（11）。亡骸のようになってしまった教会は再び「立ち上がる」（11）。それが可能なのは、教会に内在する自分自身の力によるのではない。「命の息が神から出て、この二人に入る」からである。

前述したように、「告白教会」の弱さ、挫折、敗北にバルトはほとんど絶望したが、その時、彼は「だが、教会には聖書がある」と言ったと伝えられる。教会がどんなに弱く不真実であっても、そこには聖書がある。主イエスの命の言葉がある。それだけが教会の力なのである。

# 第2部

# 23　主なる神の統治　11・15―19

この箇所には第七の天使がラッパを吹いたときの様子が描き出されている。その中心的な内容は、「最後の勝利は自分たちのものだ」という点にある。「天にさまざまな大声があって、こう言った。『この世の国は、我らの主と、そのメシアのものとなった。主は世々限りなく統治される。』」(15)。

これでは、国民を戦争に駆り立てようとする国々が叫ぶ自己陶酔的な勝利のプロパガンダと同じではないか、と思う人もいるかもしれない。実際、歴史上「キリスト教国」といわれる国々が行った戦争(たとえば「十字軍」)に際して、聖書を根拠として勝利を叫んだ例は少なくないのである。

このような「戦争イデオロギー」とヨハネ黙示録に書かれている「勝利」とは、どこがどう違うのだろうか?

先ず、ヨハネ黙示録で問題になっている戦いは、国と国との間で行われる通常の戦争ではないという点に注意したい。

これまでも繰り返し述べたように、当時のキリスト教会はローマ帝国の圧倒的な支配の下にあって迫害を受けていた。信徒たちは各地で、理不尽にも投獄されたり、処刑されたりしていた。指導者のヨハネも島流しに遭っている。そういう目に遭いながら、教会はイエスの「非暴力」の教えを信じ、暴力で抵抗するという方法は初めから断念していた。「愛する人たち、自分で復讐せず、神の怒りに任せなさい」（ローマ12・19）。あるいは、「悪に負けることなく、善をもって悪に勝ちなさい」（同12・21）。これが、初代のキリスト教的倫理だったのである。

当然、力関係から言えば、全く問題にならなかった。一方的に苦しめられるばかりであり、その中で、「こんなことをしていて、一体、教会はどうなるのか」という疑問が生じてきたとしても怪しむに足りない。

キング牧師が指導した「公民権運動」のことを思い起こす。彼はインドのガンジーを通して「山上の説教」の現代的意義に目覚め、徹底した「非暴力主義」を貫いた。しかし、やがて黒人自身の中から「非暴力主義」への疑問が起こってくる。たとえば、マルコムXの「ブラック・パワー」である。相手の暴力に匹敵するような暴力で立ち向かわなければ、結局は悪が勝つという結果になるのではないか。この思想は六〇年代後半に入って急速に説得力を持つようになった。

一九六八年四月、キングはテネシー州メンフィスで暗殺されるが、その直前のころ、彼はこのような事態に深く心を痛め、一種の敗北感に打ちのめされていたという。彼は、「互いに愛し合って生きよ」、「敵をも愛せよ」というイエスの教えを心から信じて生き、自ら実践もした。そしてこの方法は、ガンジーの場合と同じように、一定の成果を上げつつあり、白人の中にも同調者が生まれた。だが、今になって足元からの厳しい批判にさらされたのである。

イエスに従って生きることに、本当に意味はあるのか？　そんな生き方をしていれば、結局、悪に負けるということにならないか？　愛が勝つのか、それとも暴力の勝利に終わるのか？

ヨハネ黙示録における戦いは、このことに関しているのである。「天にさまざまな大声が」聞こえたとヨハネは言う。その声は、恐らく神の傍にいて昼も夜も神を賛美する天使的な存在の声であろうが、こう叫ぶ。「この世の国は、我らの主と、そのメシアのものとなった。主は世々限りなく統治される」(15)！

つまり、愛を教え、愛をどこまでも実践されたキリストが、私たちの主である。最後に勝利するのは、ローマ帝国の軍事的、経済的、政治的な力ではない。それは一時的には世界を支配するかもしれないが、やがて滅びる。だが、十字架につけられた主イエスの愛の力は、永遠である。「今おられ、かつておられた方、全能者である神、主よ、感謝いたします。大いなる力を振るって統治されたからです」(17)。

そしてそのとき、「天にある神の神殿が開かれて、その神殿の中にある契約の箱が見え……た」

(19)。「契約の箱」とは、神がイスラエルを選んで「十戒」を与えたことを永く覚えるために「十戒」の二枚の石の板を収めた箱である。この永遠の契約こそ、最後の勝利は私たちのものだ、ということの根拠なのだ。

# 24 天に大きなしるしが 12・1―6

ヨハネは幻の中で、繰り返し天上の光景を見た。1章では「天上におられるキリスト」（12以下）の姿を、4章では「天上の礼拝」（1以下）の様子を、そして、今日の12章では「天に大きなしるしが現れた」（1）ことを。これは何を意味するのであろうか？

既に述べたように、初代のキリスト教徒たちは理不尽な迫害や耐え難い苦しみを経験し、その中でしばしば前途に希望を失った。これが世界の現実である。ヨハネはこの現実に日々直面していた。現代でも、これは本質的に同じである。

前の戦争のとき、中国や韓国、沖縄、広島や長崎の人々は、理不尽な苦難を身に沁みて経験した。従軍慰安婦にさせられた女性たちや、強制収容所で殺された無数のユダヤ人もそうだ。現代でも、多くの人がテロで命を奪われているし、パレスチナでは、あの非条理な苦しみを嘗《な》めたユダヤ人の子孫たちによって一般市民が日々殺されている。これらの人たちは、「何故こんなことがあるのか？ 何故自分たちはこのような理不尽な苦しみを受けなければならないのか？」と問いながら死んで行ったであろう。だが、この問いには答えがない。

しかし、地上の現実の中で自らも苦しんでいたヨハネには、「天に大きなしるしが現れた」（1）。既に述べたように、我々が体験している地上の現実は苛酷なものだ。「そのような現実に意味があるのか？」、「世界の歴史はこれからどうなるのか？」と我々は問うが、地上の人間には誰にも分からない。

だが、「天に大きなしるしが現れた」。それは、地上に起こっていることだけが唯一の現実ではないことを示す「しるし」なのであり、より高い神の現実があるという「しるし」である。

我々の過去も現在も将来も、神はご存知である！　ヨハネはこのことに心を向けている。イエスが、「あなたがたには世で苦難がある。しかし、勇気を出しなさい。わたしは既に世に勝っている」（ヨハネ16・33）と言われたのも同じ意味である。

さて、天に現れた「大きなしるし」は、「一人の女が身に太陽をまとい、月を足の下にし、頭には十二の星の冠をかぶっていた」（1）というものであった。これは一体、何を意味しているのか？

「太陽と月と十二の星をまとう」というのは、古代の天体崇拝の神話においては、身分の極めて高い「天の女神」につきものの表現であった。その後に「女は身ごもっていた」（2）と続くから、この女性はマリアではないかと考える人もいるかもしれないが、多くの注解者によれば、これはキリスト教会を意味するのである。

さて、天には「もう一つのしるし」が現れた。「見よ、火のように赤い大きな竜である」（3）。この竜は、後に「悪魔とかサタンとか呼ばれるもの、全人類を惑わす者」（9）と説明される。要するに神話的な悪の力の象徴であって、「七つの頭と十本の角」（3）を持つ。見るからに恐ろしい怪物で、その女性が子供を産んだら直ぐ「その子を食べてしまおう」（4）という邪悪な意志を持ち、悪知恵も働き、「天の星……を掃き寄せて、地上に投げつけた」（4）ほどの強大な力で世界の秩序を脅かす。ダニエル書7章の「獣」の描写と良く似ている。『千と千尋の神隠し』に描かれた竜の迫力も参考になろう。

巨大な悪の力が存在するという思想は、古代では一般的であった。カナン神話では「レビヤタン」と呼ばれ、これは聖書にも出てくる（イザヤ書27・1など）。ギリシア神話では、巨大な竜「ピュートーン」として登場する。あらすじは——女神レートーはゼウスによって身ごもる。竜は、「やがて生まれる子がお前を殺しにやって来る」というお告げを受けてパニックを起こし、それならば先に殺そうというわけで彼女を追いかける。しかし、ゼウスの命令を受けた北風ボレアースは彼女を海神ポセイドーンに托し、ポセイドーンは彼女をある小島に移して島ごと海に沈めてしまったので、見つからずにすむ。後に再び水面に現れた島の上で、彼女は出産する。アポローンとアルテミスだ。このアポローンが、四日後に竜を殺す――というものだ。

むろん、ヨハネはここで古代の神話をそのまま使っているわけではない。それらを素材として用い、それにキリスト教的な内容を盛り込んだのである。

「女は男の子を産んだ」(5)。「男の子」とは、無論、キリストを指す。「鉄の杖ですべての国民を治める」とあるが、これは詩編2編の引用だ。詩編の「お前を生んだ」(7)という言葉は、「お前をメシアの位につける」というのと同じ意味である。すると、「この子は、鉄の杖ですべての国民を治めることになっていた」とか、「子は神のもとへ、その玉座へ引き上げられた」(5)という言い方でヨハネが言いたかったことは、「地上ではどれほど苦難があろうとも、天の玉座の傍に上げられたメシア(キリスト)が世界を愛によって支配することになっていることに変わりはない」ということに他ならない。

「女は荒れ野へ逃げ込んだ。そこには、この女が千二百六十日の間養われるように、神の用意された場所があった」(6)。前述のように「女」とは教会のことである。地上では教会への迫害がなおしばらく続く。千二百六十日! これは11章にも出てきたが、三年半、七年の半分である。つまり、苦しみは永遠に続くことはないが、それでもかなりの期間は忍耐しなければならない。しかし、教会は神の用意された場所で生き続けることができる。そして、教会史はこのことを証明しているのである。

# 25　天で戦いが起こった　12・7―18

「さて、天で戦いが起こった」(7)とある。この題を選んでから、私は、いささか躊躇《ちゅうちょ》を覚えた。あちこちで今にも戦争が起こるかもしれないのに、今さら「戦いが起こった」とつけ加えるのはよけいなことではないか？　本来、私はできるだけ「戦争」用語は避けて、平和の言葉を語りたいのだ。だが、私はしばらくとまどった後で、やはりこの題に決めた。それには理由がある。「ミカエルとその使いたちが、竜に戦いを挑んだ」(7)とあるが、この「戦い」は普通の戦争とは違って、「なくてはならない戦い」だからだ。このことを、一つの例を取り上げて説明しよう。――戦後のドイツは、ナチスの時代に犯した「ユダヤ人迫害」や「大量虐殺」、「戦争」といった非道な犯罪を二度と繰り返してはならないという反省から出発した。この反省において、ドイツは日本より遥かに徹底的だった。基本的人権と人間の尊厳を踏みにじったナチズムは否定しなければならない。そのためには、一見矛盾するようだが、ナチズムを肯定するような言論の「自由」を認めてはならない。この精神が、「西独基本法」(憲法)に明確に盛り込まれた。「戦う民主主義」と言われる。これは、過去の克服のためには不可欠な「戦い」だったのである。

「天で戦いが起こった」ということもこれと似ている。天使と竜の天上の戦いは、地上で理不尽な迫害を惹き起こす悪の霊（竜）を否定するための戦いなのだ。

さて、この「竜」について、もう少し述べたい。「巨大な竜、年を経た蛇、悪魔とかサタンとか呼ばれるもの、全人類を惑わす者」（9）と言われている通り、「竜」は神に敵対し、人間を惑わす悪の霊の象徴である。

しかし今回、私は特に「巨大な」という形容詞に注目させられた。悪魔は巨大である。だが、「逆モマタ真ナリ」で、巨大なものはしばしば悪魔的になる。巨大化した企業、巨大化した国家、巨大化した軍隊は、いつしか人間の心を失って行く。

三十四年の生涯を真摯に生きたフランスの哲学者シモーヌ・ヴェイユは、「二人または三人がわたしの名によって集まるところには、わたしもその中にいる」（マタイ18・20）というイエスの言葉に注目した。イエスは「二人または三人」と言ったのであって、「百人も二百人も」とは言わなかった、というのである。これは本当ではないか。イエスは常に「いと小さき者」の一人一人に暖かい目を注いだが、巨大化したものにそれは不可能だ。システムそのものの非情な論理によって動くほかはないからだ。そこでは人間らしい心が失われ、悪魔化する。

その結果、巨大化したものはそれ自体の巨大さによって、いつしか滅びへの道を走り始める。恐竜がその巨大さによって絶滅したように。

しかし、この箇所は、巨大な竜が自分の「巨大さ」によって滅びたというのではない。「天使が竜と戦って勝つ」というのである。この種の神話は古代中近東には珍しくないし、「悪魔的な存在」は旧約聖書の至る所に顔を出している。先にふれた9節がそうだし、ダニエル書の「獣」もそうだ。「ものすごく、恐ろしく、非常に強く、巨大な鉄の歯を持ち、食らい、かみ砕き、残りを足で踏みにじった」(7・7)!

天使ミカエルも旧約聖書に時々登場する。「その時、大天使長ミカエルが立つ。彼はお前の民の子らを守護する」(ダニエル書12・1)。ミカエルはイスラエルの守護天使で、救済者の役割を担う超越的な存在と信じられていた。この守護天使ミカエルが竜に、つまり、神に敵対する悪魔的存在、つまり人類を誘惑して破滅させるサタンに戦いを挑む、というのである。

ところで、前項で我々は、男の子(=キリスト)が天の「玉座へ引き上げられた」(12・5)というところを読んだ。このキリストが、この箇所ではミカエルと重なっている。竜(悪魔)と戦って地上に投げ落とすのは、実際はキリストである。サタンがどれほど強くても、結局はキリストに勝てない。「竜とその使いたちも応戦したが、勝てなかった。そして、もはや天には彼らの居場所がなくなった」(7―8)。こうして竜は「投げ落とされた」(9)。9節では「投げ落とされた」という言葉は三回繰り返されて、この悪魔的存在が天では既に克服されているということを印象的に示している。

以前にも述べたように、黙示録では、地上で起こるであろうことは先ず天で起こる、と信じられている。ヨハネが天に目を向けるのは、このためである。地上でどれほど迫害され苦しめられているときにも、信徒たちは天を仰ぐ。自分たちは決して見捨てられてはいないということが、天に現れている。だから「身を起こして頭を上げなさい」(ルカ21・28)。キリスト者は、地上でどんな迫害に遭っても、どんなに絶望的な状況に直面しても、勝利の歌(10)に声を合わせて生きて行くのである。この勝利は、「小羊の血」(11)、つまり、主イエス・キリストの十字架によってもたらされたものに他ならない。黙示録が訴えようとしているのは、このことなのである。

ところで、12節後半には「地と海とは不幸である。悪魔は怒りに燃えて、お前たちのところへ降って行った。残された時が少ないのを知ったからである」という甚《はなは》だ不吉な言葉が続いている。天から投げ落とされた竜は、残された時の間、地上で苦悩と災いを撒き散らすというのである。これもこの世の現実であろう。だが、それも長いことではない。イエスは「最後まで耐え忍ぶ者は救われる」(マルコ13・13)と言われたではないか。

# 26　忍耐と信仰が必要である

13・1―10

ヨハネの幻は続く。「一匹の獣が海の中から上って来るのを見た。これには十本の角と七つの頭があった。それらの角には十の王冠があり、頭には神を冒瀆《ぼうとく》するさまざまの名が記されていた」（1）。この描写には、ダニエル書の影響があると思われる。

ダニエル書7章には「海から四頭の大きな獣が現れた」（3）とあり、特に四番目の獣に十本の角があるところなど、この箇所とよく似ている。しかし、ダニエルは「四頭の大きな獣」の幻が何を意味するのか分からず、悩んでいた。すると、「そこに立っている人の一人」が（16）――おそらく天使であろうが――謎解きをしてくれた。「これら四頭の大きな獣は、……四人の王である」（17）というのである。これは、それまで中東世界を支配してきた四大帝国、すなわち、バビロニア、メディア、ペルシア、ギリシアの王たちのことである。四番目にギリシアが挙げられているが、これは、アレクサンドロス大王の大帝国と、彼が死んだ後で部下の将軍たちが創始した諸王朝、とりわけ、紀元前二世紀、ダニエル書が書かれた時代にユダヤを支配していたシリアのセレウコス王朝を指すと言われている。このように、聖書はその時代の歴史と密接な関わりを持って書かれたのであり、決して「無時間的な」真理ではない。

セレウコス王朝のアンティオコス四世は、ユダヤに対して極めて苛酷な支配を行い、エルサレム神殿を荒らし、民を仮借なく迫害した「悪王」として名高い。ダニエル書7章が「第四の獣は地上に興る第四の国、これはすべての国に異なり、全地を食らい尽くし、踏みにじり、打ち砕く。十の角はこの国に立つ十人の王、そのあとにもう一人の王が立つ。彼は十人の王と異なり、三人の王を倒す」(23—24)と書いているのは、この暴虐な王・悪しき国家のことである。

しかし、離散のユダヤ人(ディアスポラ)はこの圧政の下で苦しみながらも、このような悪しき国家は神の御心に背いているのだから、決して長続きはしないということを信じていた。そして、この確信を暗号めいた文体で告白し、仲間に伝えて励ました。それがダニエル書なのである。

この点はヨハネ黙示録も同じだ。黙示録13章の「獣」は明らかにローマ帝国である。紀元一世紀末のローマ帝国は、地上で唯一のスーパーパワーであった。絶対的な力を持つこの帝国は、理不尽な言いがかりをつけてキリスト教徒を迫害した。

シェーンキヴィッチの『クオ・ヴァディス』によると、皇帝ネロは良い詩を作るための刺激を求めてローマの都に火を放ち、国民の怨嗟《えんさ》の声がつのると放火の責任をキリスト教徒に転嫁して厳しく迫害したという。これは小説だから史実とは言えないが、当時の状況をある程度反映していないとは言えない。

「竜はこの獣に、自分の力と王座と大きな権威とを与えた」（2）とある。ローマ帝国がこれほど絶大な権力をもって非道を行うのは、「神に敵対する悪魔的存在」、つまり「竜」がその力を与えたからではないかとヨハネは考えたのだ。「人々は竜を拝んだ。人々はまた、この獣をも拝ん」だ（4）。ローマは皇帝礼拝を強要する。従わない者は仮借なく弾圧する。これも「神に敵対する悪魔的存在」から出たことである。

悪しき皇帝ネロは、その失政を責められて六八年に自決する。しかし彼には妙な人気があり、多くの人々は「ネロはまだ生きている」と信じていたという。「パルティアに潜んで、やがてローマに攻め上ってくる」と。「死んだと思われたが、この致命的な傷も治ってしまった」（3）というのは、この伝説を反映している。この世では善良な者はしばしば弱く、悪い者は呆れるほど強靭《きょうじん》である！

さて、ここで中心主題に移る。「国家とは何か」という問題である。先ず、聖書には互いに矛盾するような二つの国家観が存在することに注目しなければならない。

第一は、今、我々が読んでいるヨハネ黙示録13章に代表されるような考え、つまり、「国家というものは、神に敵対する悪魔的な存在にもなり得る」という見方である。ダニエルにとってはシリアのセレウコス王朝がそうであった。ヨハネも、当時のローマ帝国をそのように見ていた。そして、これに類する国家観は、その後の歴史においても繰り返し現れた。ナチスに迫害された多くのユダヤ人にとっては、ヒトラーのドイツが正にそうであった。侵略を受けたアジアの諸民族から見れば、日本も同じである。日本軍は「鬼」と呼ばれた。スターリニズムが支配していた頃の旧ソ連も同様である。ブッシュ大統領は、イラクや北朝鮮を「悪の枢軸」と決めつけたが、そのアメリカはどうだろうか？もちろん、立場によって見方も変わることは当然だが、国家が「悪魔的なもの」であるという認識は、聖書の中にもある。

第二の見方はローマ書13章である。「人は皆、上に立つ権威に従うべきです。神に由来しない権威はなく、今ある権威はすべて神によって立てられたものだからです」（1）。「上に立つ権威」は、「善を行わせるために」、あるいは「悪を行う者に怒りをもって報いる」（4）ために「神に仕える者」なのであり、いわば社会の秩序を守るために神によって定められた制度だ、というのである。このような考えはパウロだけでなく、ペトロの手紙などにも現れる（一2・13以下）。

国家が、神の定めたもうた秩序として良く機能することを我々は祈り求めるし、そのような良い国家も、稀にだが存在する。だが、多くの場合、国家は「獣」にもなり得るのである。この両側面があるからこそ、ヨハネは「忍耐と信仰が必要である」（10）と言うのではないか。

# 27　知恵が必要である

13・11―18

ヨハネ黙示録13章の主題は、「国家」、特に「教会と国家権力の関係」である。この問題について、さらに今一歩進めて考えたい。

「国家」は社会に必要な秩序である。我々は無政府主義者ではない。パウロはローマ書13章で、「上に立つ権威」（1）は本来「神によって立てられたもの」（1）で、「悪を行う者には恐ろしい存在」（3）であり、「善を行わせるために、神に仕える」（4）ものだと言う。時代が違うから全面的にとは言わないが、我々も原則的にはこれに同意できよう。

『日本国憲法』では、「主権が国民に存する」（前文）。天皇の地位も、「主権の存する日本国民の総意に基く」（第一条）。「国権の最高機関」である国会（第四十一条）の権威も「国民に由来する」（前文）。政治的権威は主権者である我々国民にあり、国民の代表が制定した「法」にある。国民は皆、「法」によって基本的人権を保証されるが、同時にもろもろの義務を負う。税金も納める。「法」に反したことをすれば、「法」によって罰せられる。その意味で権威は法にある。

その限り、国家は必要な秩序である。しかし、絶対ではない。さまざまな間違いを犯すこともあるし、時には悪い政府や非道な指導者が恣意《しい》的に法を作る。ナチス・ドイツはその典型だったたし、戦時中の日本も同様だ。

そのとき、神を信じその御意《みこころ》に従って生きることを願う信仰者（教会）はどうするか？　これが黙示録の直面した問題だった。「悪法も法だ」と言っておとなしく服従する人もいたであろう。しかし、旧約聖書の頃から、代表的な信仰者は「人間に従うよりも、神に従わなくてはなりません」（使徒5・29）という立場に立って悪しき権力者を批判し、抵抗した。むろん、単なる「権力闘争」とか、「主導権争い」のためではない。神は、弱い立場にいる人々も「人間らしく生きられる」ように望みたもう。「搾取する者を懲らし、孤児の権利を守り、やもめの訴えを弁護せよ」（イザヤ書1・17）というのは神の意志だ。これに従って、彼らは敢えて抵抗したのである。

モーセは、イスラエル民族を奴隷にして強制労働を命じたファラオに果敢に立ち向かい、遂に民族を解放した。ダビデは信仰によってイスラエル王国を立てたが、後にその彼が驕《おご》り高ぶり、立場を利用して部下の妻を犯したとき、面と向かって痛烈に王を批判したのは預言者ナタンであった。ソロモンの後、王国は南北に分裂し、紀元前六世紀には遂に滅亡するが、その間の王たちはごく少数の例外を除いて多くは悪い支配者で、列王記は、これらの悪しき王たちの罪が神の裁きを招き国を滅ぼしたのだという歴史観に貫かれている。その際、イザヤ、エレミヤ、エゼキエルといった預言者たちは神の言葉に立って王を厳しく批判した。彼らは、真理のため、また、人間の尊厳のために敢えて権力者に立ち向かった。この精神が聖書の中には脈々と流れていることを忘れてはならない。内村鑑三とか矢内原忠雄といった人々は、この精神を受け継ごうとしたのである。ヨハネ黙示録もダニエル書と同じく、この系譜に立つ。謎めいた書き方も、時の政治的権力を痛烈に批判するために他ならない。

さて、13章1節では一匹の獣が「海の中から上って来る」という。そして11節ではもう一匹の獣が「地中から上って来る」。「海」と「地中」は世界を二分する二つの領域である。ヨハネはこの二つを並べることによって、広大な領域全体を暗示している。つまり、「獣」とは、広大な領土と絶大な権力を誇ったローマ帝国のことである。

この「獣」は、神に逆らう存在である「竜」と同様にものを言うことができるが、同時に小羊に似ていた（11）。小羊はキリストの象徴である（5・6）。つまりローマ帝国は、実質は悪魔的なのに、外見は神聖さを装っている。そして、「致命的な傷が治ったあの先の獣を拝ませた」（12）。「先の獣」とは暴君ネロのことであり、この暴君は神格化され、その像は礼拝の対象となった。バビロニアのネブカドネツァル王と同じこと（ダニエル書3章）がローマでも行われたのである。

さらに支配者は、「すべての者にその右手か額に刻印を押させた」（16）。牛や馬に焼き印を押して所属を明確にしたように、この「刻印」は皇帝への所属・忠誠を示す印である。この印を持たない者は「物を買うことも、売ることもできない」(17)。つまり、経済制裁に遭う。現代でも、同じようなことが行われていないだろうか。

さて、「数字は人間を指している。そして、数字は六百六十六である」(18)という最後の一句は、このような悪を行う支配者を暗示している。これについては古来いくつかの解釈があるが、最も有力なのは「ゲマトリア」という人名表現法を用いたとする説であろう。ポンペイの遺跡に、「私は、その数が五四五であるような彼女を愛している」という有名な落書きがあるそうだが、これは「ゲマトリア」の一例である。

ヘブライ語でもギリシア語でも、アルファベットのそれぞれの字母に当てはめられる数字がある。「ネロ・皇帝」をローマ字で表記すると、NRON・KSRとなるが、それぞれの字母の数字は、五十・二百・六・五十・百・六十・二百だ。合計すると六百六十六になる。恐らく黙示録を読んだ信徒の多くは、六六六という数字を見れば直ちにネロのことを連想することができたであろう。そしてヨハネは、神として礼拝されるほどの権力を握った皇帝ネロもまた悪魔の手先である一匹の獣に過ぎず、やがて滅びるということを洞察したのである。この洞察には、信仰に支えられた知恵が必要であり、現在の世界の状況は、正にこの知恵を我々に要求しているのである。

# 28 新しい歌

14・1―5

ヨハネの見た幻はさらに続く。「見よ、小羊がシオンの山に立って」いた（1）。「小羊」とは、黙示録では一貫してイエス・キリストの象徴である。5章には、小羊が七つの封印で封じられた巻物を解くとあるが、これは、イエス・キリストだけが歴史の行く手を示すことができる、ほかの誰にもできない、という意味である。その小羊が「シオンの山に立った」！「シオンの山」とはエルサレムの東にある小高い丘で、終末に際してはメシアが民を救うためにそこに現れると信じられていた（ヨエル書3・5）。自分たちは、今は「お先真っ暗」という状態かもしれないけれども、小羊は既にシオンの山に立っている！ これがヨハネの信仰であった。

そして、「小羊と共に十四万四千人の者たちがいて、その額には小羊の名と、小羊の父の名とが記されていた」（1）。「十四万四千人」という数は、イスラエル全十二部族からそれぞれ一万二千人ずつという計算で（7・4―8）、これは完全数である。神の約束の相手として選ばれた「神の民」は、一人の例外も無く小羊のもの、小羊の父（神）のものだ。だから、7章にもあるように、彼らはなお、

「大きな苦難を通って」(7・14)行かなければならないだろうが、最後には必ず救われる。「小羊が彼らの牧者となり、命の水の泉へ導き、神が彼らの目から涙をことごとくぬぐわれる」(7・17)。心に沁み入るような慰めだ。

私はここで、キング牧師が「私には夢がある」と言ったことを思い起こす。いつの日か、人が肌の色で判断されたり差別されたりすることがなくなる。かつての奴隷の子孫たちと、奴隷所有者の子孫たちとが一緒に友情の食卓につく日が必ず来る。私には夢がある。ヨハネも同じように夢を見たのである。それは、「神の民」である教会が常に小羊と共にいて、どんな困難に出遭っても見捨てられることはないという夢だ。

次に音が聞こえた。黙示録14章は大変色彩が豊かで絵画的だが、同時に音楽的でもある。ヨハネは「大水のとどろくような音、また激しい雷のような音が天から響くのを聞いた」(2)とあるが、これはただの騒音ではない。大編成のオーケストラが発する音響と言うべきだろう。腹に響くような大太鼓のとどろき。そして「竪琴を弾いているよう」な(2)繊細な音。竪琴の音は、普通なら激しい雷のような音にかき消されてしまうところだが、ここでは双方の音が生きる。力強く、しかも美しいハーモニーだ。

それに合唱が加わる。5章にも、「万の数万倍、千の数千倍」(11)の天使たちが大声で賛美の歌を歌ったとある。それは、「屠《ほふ》られた小羊は、力、富、知恵、威力、誉れ、栄光、そして賛美を受けるにふさわしい方です」(12)という新しい歌である。

なぜ「新しい」のか？　苦しみの中で喜びを、失望落胆の中で希望を歌うからだ。

ヨハネがこれを書いていたとき、教会はローマ帝国による迫害の真っただ中にあり、ヨハネ自身もパトモス島に幽閉されていた。世界は、そして教会はこの先どうなるのか。先が見えない状態の中で、キリスト教徒たちはしばしば途方に暮れることもあったであろう。そのような状態の中で、彼らは歌を歌う。それは半ば自暴自棄になって口ずさむ歌や「引かれ者の小唄」ではない。「この歌は、地上から贖われた十四万四千人の者たちのほかは、覚えることができなかった」(3)とある。この歌は、「小羊が彼らの牧者となり、命の水の泉へ導き、神が彼らの目から涙をことごとくぬぐわれる」と心から信じた者だけが歌うことができる歌である。だから新しい。

我々は、愛する者を失って悲しんでいるときも、悩み苦しんでいるときも、この新しい歌を歌う。既に地上の暗闇から解放されて、小羊がいる天上の光に包まれているが故に、この歌を歌うのである。「見よ、世の罪を取り除く神の小羊」(ヨハネ1・29)と歌う。権力や暴力とは全く縁がない柔和な小羊。汚れなき血を流し、自己犠牲の愛を通して罪人を救った小羊に、人類の将来はかかっていると信じるからである。

最後に4節以下について一言したい。「女に触れて身を汚したことのない者」とあるが、これは性行動それ自体を「汚れたこと」として禁じているとか、女性を「汚れたもの」と蔑《さげす》んでいるとかいうことではない。昔、イスラエルの兵士たちは、出陣する前には一時的に禁欲した（サムエル記上21・6）。また、ある信者の集団では、宣教の使命を果たすために出発する前は禁欲したといわれている。小羊（キリスト）を信じて生きる人々は、「小羊の行くところへは、どこへでも従って行く」（4）。この服従は、集中的な献身でなければならない。4節は、それ以上の意味を持つものではないであろう。我々も、小羊に従って、集中して生きたい。

# 29　永遠の福音

14・6—12

ヨハネは「天使が空高く飛ぶのを見た」（6）と言う。私はここで、高性能爆弾を満載したステルス爆撃機や巡航ミサイル「トマホーク」が空高く飛んでいるところを連想せずにはおれなかった。だが、そこを飛んでいるのは爆撃機や巡航ミサイルだけではない。永遠の福音を携えた天使も飛んでいるのである。戦争を始めた人たちにはこの天使が見えないのだろうか？

その天使は大声で、「地上に住む人々、あらゆる国民、種族、言葉の違う民、民族に告げ知らせるために、永遠の福音を」（6）語ったという。世界の至る所から今、耳をつんざくようなジェット戦闘機の爆音や、ミサイルが爆発する轟音がひっきりなしに聞こえて来る。だが、それだけではない。耳を澄ませば、「永遠の福音」を語る天使の声も聞こえてくるのである。この声をあの人々は、そして我々は聞いているだろうか？

先年、私は「日本バルト協会」の年次研修会（葉山）に出席した。エバハルト・ブッシュ教授（ゲッチンゲン）の『カール・バルトと反ナチ闘争』をテキストに、「神学における告白と行動」を主題として共に学び、語り合ったのである。時あたかもイラク開戦直前の緊迫した空気の中で、議論はしばしば白熱した。その際、「日本バルト協会」が「日本ボンヘッファー研究会」と共同で発表した『天城神学宣言』が話題になった。以下にその核心部分を紹介したい。

この宣言は先ず、「私たちが信じ、宣教するイエス・キリストは和解の主である。この主イエス・キリストは、神と人、人と人、人と自然の隔ての壁を取り除き、福音を告げ知らせる方である」と告白する。次に、「和解の主は、宗教的信念やイデオロギーの絶対化を許さず、宗教的、経済的、政治的、社会的な不義の下で苦しむ人たちを解放したもう」と言い、さらに「和解の主はこの世を愛し、『殺してはならない』と命じられる。いかなる殺人、テロ、戦争、報復行動も平和実現の手段となることはできない。それらは和解の精神と対立し、神の義に代わろうとする暴挙である」と続ける。この宣言のキーワードは「和解の主」である。神と人、人と人、人と自然の隔ての壁を取り除かれた和解の主は、我々にも「和解の務め」を負わせる。天使が語る「永遠の福音」は「和解の福音」である、というのがこの「宣言」の基本的な理解である。

ブッシュさんは優れた神学者で、『天城神学宣言』起草者の一人でもあるが、その研修会の席上、出席者の一人が「あなたの名は米国の大統領と同じですね」と言うと、「決定的に違います。私のブッシュはBUSCHで、Cがある。このCはキリストです」と答えて満場の笑いを誘った。

これは気の利いたジョークだが、それ以上の意味を持っていることに皆さんもお気づきだろう。あちらのBUSHはホワイトハウスで熱心に聖書研究をし、祈り、聖書の言葉を使って戦争を正当化していたが、一体、聖書から何を学んだのか？　聖書の中心は「和解の福音」ではないのか？

さて、テキストに戻ろう。6節の「福音」という言葉は、たとえばイザヤ書52章7節に「いかに美しいことか、山々を行き巡り、良い知らせを伝える者の足は。彼は平和を告げ、恵みの良い知らせを伝え、救いを告げ、あなたの神は王となられた、とシオンに向かって呼ばわる」とあるように、一般的な「良い知らせ」という意味で使われていると言われている。しかし、内容は「和解の福音」そのものである。

ヨハネによると、天使は「神を畏れ、その栄光をたたえなさい」(7)、「天と地、海と水の源を創造した方を礼拝しなさい」(7)と言った。これには、神は万物が共に生きて行くことを望まれた、という意味が含まれる。神が天と地、海と水の源を創造したのは、この世界のすべてのいのちが守られ、共に栄えることを望まれたからであって、それを破壊したり殺したりするためではない。この神を畏れよ。その栄光をたたえよ。すべてのいのちの源である神を礼拝せよ。戦闘への攻撃命令を下した代々の指導者たちは、今こそこの言葉を真剣に聞かなければならない。

天使はまた、「神の裁きの時が来た」(7)と告げる。恐らく熱心なキリスト教徒といわれるブッシュ前大統領は、この聖句を「イラクに対する裁きの時が来た」、という意味に解釈し、得意になって引用するかもしれない。だが、黙示録が言うのは「神の」裁きの時である。ある国が神の裁きの代行者であるように振る舞うのは、人間の傲慢な思い込みに過ぎない。むしろ、神はこのような傲慢な自己絶対化を裁かれるであろう。思い上がった人々は、その裁きの時が必ず来ることを知るべきだ。

第二の天使の言葉「倒れた。大バビロンが倒れた」（8）も、同じ意味で理解されなければならない。確かに、「バビロン」は今のイラクのことだが、黙示録が暗示しているのは、当時世界を一極支配していたローマ帝国のことである。つまり、圧倒的な力を誇り皇帝礼拝を強要するような大帝国もいつか必ず倒れる、と黙示録は言っているのである。傲慢は必ず裁かれる。これが聖書を一貫するメッセージに他ならない。

# 30 鋭い鎌を持つ天使

14・14―20

ヨハネが見た幻は続く。「見よ、白い雲が現れて、人の子のような方がその雲の上に座って」（14）いた。「人の子のような方」という言い方には、ダニエル書7章13節の影響が見られる。「夜の幻をなお見ていると、見よ、『人の子』のような者が天の雲に乗り、『日の老いたる者』の前に来て……」。「人の子のような者」とは、終末の時に来臨すると信じられていた救世主（メシア）を意味した。

ヨハネは、この表現をイエスに当てはめたのだ。パトモス島で召しを受けたときも（1章）、これとよく似た幻を見ている。描写はずっと詳しい。雲は現れないが、七つの金の燭台が見え、「燭台の中央には、人の子のような方がおり、足まで届く衣を着て、胸には金の帯を締めておられた……」（13―16）。これがイエスを指していることは前後の文脈から明らかだ。ヨハネは、「イエスはメシアであり、終わりの時には神の威厳を身にまとって再び現れる」と言っているからである。

すべての人を極みまで愛したのに、彼らに辱められ、捨てられ、十字架上で「わが神、わが神、なぜわたしをお見捨てになったのですか」（マルコ15・34）という絶望の叫びを残して死んだイエス。しかし、真実な方を抹殺したこの世がそのまま栄え、真実な方はそのまま滅びの手に落とされるというようなことは、神がお許しにならない。イエスは、死者の中から復活される。そして終末の時に、神の威厳をまとって再び現れ、世界をあるべき姿に戻される。ここに、「人の子のような方が……頭には金の冠をかぶり」（14）とあるのは、そのことを暗示している。

人の子のような方は神の威厳を身にまとっているだけではない。「手には鋭い鎌を持って」（14）現れる。そして、天使がこの方に向かって「鎌を入れて、刈り取ってください。刈り入れの時が来ました」（15）と呼びかける。この方が鎌を地上に投げると、「地上では刈り入れが行われた」（16）。「穀物の収穫」のイメージを用いて、「神の裁き」について語っているのである。

続いて、「ぶどうの実の取り入れ」という形で同じ主題がもう一度展開される。「その鋭い鎌を入れて、地上のぶどうの房を取り入れよ。ぶどうの実は既に熟している」（18）。そこで、その天使が鎌をもって裁きを行う。赤いぶどうの液が血を連想させるために、一層生々しい。ぶどうの実は、「神の怒りの大きな搾《しぼ》り桶に」（19）投げ入れられて踏み潰され、血はそこら中に溢れる。

さて、「神の裁き」という考えは、我々の心に恐れを呼び起こすだろう。洗礼者ヨハネが「差し迫った神の怒り」について（マタイ3・7以下）、「悔い改めにふさわしい実を結べ」と叫び、「（神は）手に箕《み》を持って、脱穀場を隅々まできれいにし、麦を集めて倉に入れ、殻を消えることのない火で焼き

14・14―20

払われる」（同3・12）と語ったとき、それは人々を戦慄《せんりつ》させたであろう。

確かに、神の裁きを思うと、我々は恐れを覚えずにはいられない。だが、それだけではない。「最後には神が正しい裁きを行われる」と信じることは、いわれのない迫害を受けて苦しんでいた初代のキリスト教徒にとって、ほとんど唯一の慰め、希望だったのである。

日常生活の中から卑近な例を取るなら、人からあらぬ誤解を受けて、いくら弁解しても信じてもらえないようなとき、我々は辛く、「いつになったら分かってもらえるのか？」と苛立《いらだ》たしい気持ちになるであろう。

あるいは、冤罪《えんざい》事件のことを考える。自分は無実だといくら主張しても取り上げてもらえず、無実を叫びながら死刑に処せられるケースは、これまでも少なくなかった。その苦しみはどれほどであろうか。

あるいはまた、内戦や侵攻により戦渦に巻き込まれた一般民衆のことを考える。無差別な空爆にさらされ、地獄のような業火に全身を焼かれて死んで行く子供たちがいる。「こんなことがあっていいのか？」という愛する者たちの問いは、答えがないまま空しく消えて行く。

だが、最後には神が黒白をつけてくださる、と聖書は言うのである。ルカ福音書18章に一人のやもめの話がある。彼女は正しい裁きをして欲しいと切に願って、しきりに裁判官に頼むのだが、この裁判官は「神を畏れず人を人とも思わない」(2)ようないい加減な男で、「しばらくの間は取り合おうとしなかった」(4)。だが、彼女は執拗《しつよう》に頼み続ける。遂に、この不正な裁判官は音を上げて、彼女の願いを聞いてやった。ルカは書いている。「まして神は、昼も夜も叫び求めている選ばれた人たちのために裁きを行わずに、彼らをいつまでもほうっておかれることがあろうか」(7)。

そうなのだ。定められた時が来ると、神は正しい裁きを行われる。真実を抹殺するようなことを繰り返しているこの世がそのままいつまでも栄え、踏みにじられた真実がそのまま滅びるというようなことを、神は決してお許しにならない。裁きの時が来ると神は、何が真実であり、何がそうでないかを最終的に明らかにされる。これは、慰めに満ちたメッセージではないか。

人の子と天使が持つ「鋭い鎌」(14、17)。ここで我々は、ヘブライ人への手紙4章12節の「神の言葉は生きており、力を発揮し、どんな両刃の剣よりも鋭い」という言葉を想起する。「神の御前では隠れた被造物は一つもなく、すべてのものが神の目には裸であり、さらけ出されている」(同4・13)のだ。神はこのように、何が真実であり、何がそうでないかを残りなく明らかにされる。これが我々の希望であり、支えなのである。

# 31　驚くべきしるし　15・1―8

ヨハネは「天にもう一つの大きな驚くべきしるしを見た」（1）という。黙示文学においては、やがて地上に起こるべきことの「しるし」（前兆）が、先ず天に現れる。この「しるし」を指し示して人々の注意を促し、その意味を解明するのが、旧約の預言者たちの仕事である。主イエスご自身が、ここではヨハネが、そして、後の時代においては、教会がその役割を果たさねばならない。

ところで、これまでも度々指摘したように、紀元一世紀末のキリスト教徒たちにとっては、「世界史の行く先はどうなるか」ということが深刻な問題であった。当時のローマ帝国は政治的にも、経済的、軍事的にも絶大な力を持っていて、それに対抗できる勢力は地上のどこにもなかった。だから、帝国による理不尽なキリスト教迫害も止めようがなく、キリスト教徒たちの心は、「これから先、世界は、教会は、そして私たちはどうなるのだろうか？」という、先の見えない不安で一杯だった。

それと全く同じではないが、似たような不安が今の世界にもある。冷戦後、アメリカが唯一の超大国として事実上「一極支配」を推し進めているが、これが世界の諸問題を望ましい方向で解決するということはない。むしろ不安を呼び起こしている。

当時のローマは、自分たちの圧倒的な力によって世界の平和は守られていると誇り、「ローマの平和」(Pax Romana) と称していたが、この「平和」は、実は敵対する勢力を無理やり抑えつけた状態に過ぎなかった。その結果、不満ははけ口を失い、内にわだかまって残った。これは、聖書の言う平和(シャローム)とは違う。すべてのものが真に和らぎ、争わず傷つけず、愛し合って共に生きるという本当のシャロームではなかったのである。

今日の状況も、これとよく似ている。二〇〇三年、アメリカが国連を無視してイラクに戦争を仕掛けた背後には、「ローマの平和」とそっくりの「アメリカの平和」(Pax Americana) という考え方がある。圧倒的に強いアメリカの経済力軍事力こそが世界に秩序をもたらし、平和を守るという発想である。世界の世論の七十パーセント以上がこの戦争に反対していたのにブッシュ大統領が耳を貸そうとしなかったのは、この使命感に凝り固まっていたからだ。だが、これによって得られるのは、果たして真の「平和」であろうか? 表面上の平和に過ぎないのではないか。

米国はイラクとの戦闘には勝っただろうが、問題は内攻するだろう。既にアラブ世界にその兆しが現れているように、このまま行けば反米の傾向が世界中に広がり、深く根を張り、その結果テロは根絶されるどころか、陰湿な形でますます広がるかもしれない。世界はどうなるのか? 誰もが不安を感ぜずにはおられない。

ヨハネにも似たような不安があり、その中で彼は、天に大きな驚くべきしるしを見たのである。世界の行く末についての「しるし」が天に現れた。それは1節後半にあるように、差し当たりは「災い」と「神の怒り」である。しかし、それは、災いと神の怒りだけではなかった。

ヨハネの目には「火が混じったガラスの海のようなもの」(2)が見えた。佐竹明氏によると、「ガラスの海」とはもともと「蒼穹《そうきゅう》」のことであり、「火が混じった」というのは稲妻がきらめく様子を示しているそうだが、ここでは要するに、あの「葦の海」(紅海)の奇跡を暗示しているという。

出エジプト記14章19節以下に生き生きと描写されているように、モーセによってエジプトの奴隷という境遇から解放されたイスラエル民族は、「葦の海」のほとりでエジプトの軍勢に追いつめられた。目の前は行く手を阻む海であり、もはや絶体絶命かと思われた。そのとき、奇跡が起こる。

同じように先が見えない絶望的な状態の中で、ヨハネは葦の海の奇跡を思い起こしているのである。それが、「火が混じったガラスの海のようなものを見た」という言葉の本来の意味なのだ。奴隷であったイスラエル民族。何の力も持たない弱小な流浪の民。しかし、彼らはエジプトの絶対君主ファラオの強大な軍勢にも破れなかったではないか！

これに続けてヨハネは、「獣に勝ち、その像に勝ち、またその名の数字に勝った者たちを見た」

（2）と書いている。「獣」とは、13章に出てきたように、絶大な権力をもって悪を行う国家のことであり、「その像」とは神格化された絶対君主のことであり、そして「その名の数字」とは、「六百六十六」が暴君ネロを示す数字であったように、暴虐な支配者のことである。「泣く子と地頭には勝たれぬ」と昔の人が言ったように、「絶対的な権力者にはとても勝てない」というのが世の常識というものだろうが、ヨハネはここで、「それによっても滅ぼされない者たちがいる」と語る。これが真実ではないか。

この者たちは、葦の海のほとりに立って救われた感謝を歌った人々のように、「神の僕《しもべ》モーセの歌」を歌う。そして、それは「小羊（キリスト）の歌」でもある。3—4節！ ヨハネが見たのは、このような「天に現れたしるし」であった。

どんなに世界は暗くても、遂には神の支配が完成される。その「しるし」が、既に天には現れている！ このことを我々も信じたい。

# 32　神の裁きは真実である

16・1—9

ヨハネ黙示録には多種多様な幻が現れる。ここには鉢を持った七人の天使が出て来て、「七つの鉢に盛られた神の怒りを地上に注」ぐ（1）。一四〇〇年頃のネーデルランドの黙示録写本に添えられた細密画によると、鉢は壺のような形をしており、その中身、つまり「神の怒り」は一斉に地上に注がれている。しかし、黙示録本文では、七人の天使が順番に注いでいく。

第一の天使が鉢の中身を地上に注ぐと、「獣の刻印を押されている人間たち」に「悪性のはれ物ができた」（2）。第二の天使がそれを海に注ぐと、「海は死人の血のようになって、その中の生き物はすべて死んでしまった」（3）。第三の天使はそれを川と水源に注いだ。すると「水は血になった」（4）。第四の天使がその鉢の中身を太陽に注いだ。すると、「人間は、激しい熱で焼かれ」た（9）。第五以下も同じように続く。

ところで、少し前の8章にもこれと似たような幻が出てくる。ラッパを持った七人の天使が登場して次々にラッパを吹くと、さまざまな災害が起こるのである。この箇所は本質的にはこれと同じで、

「神の裁きが行われる」ことを意味している。そして、さらにその前の6章10節には、「真実で聖なる主よ、いつまで裁きを行わず、地に住む者にわたしたちの血の復讐をなさらないのですか」という信徒たちの訴えがある。この訴えに応じて神の裁きが下るというのが、全体の筋書きである。

しかし、ここで我々は一つの疑問を抱くだろう。「わたしたちの血の復讐を」という訴えに応じてなされる「神の裁き」とは、「私たちに代わって復讐してください」という願望に他ならず、要するに「我々の復讐」の変形に過ぎないのではないか？

確かに、人間が「神の裁き」を口にするとき、しばしばそのような意味合いが紛れ込む危険がある。自分たちが勝手に復讐をしておいて、それを「神の裁き」と称したりするのもその一例であって、これは「神の裁き」と「人間の復讐」を混同するものだ。

いつかの新聞に、「復讐するは我にあり」という興味ある記事が載っていた。ある記者が米国ミシガン州ペルストンに全米有数の民兵組織を訪ねたときの報告である。この民兵組織の会員は一万人、皆銃を持っていて、週末には射撃訓練などをする。指導者は銃砲店を経営するノーマン・オルソンという人物で、彼は同時にその村のバプテスト教会の牧師でもある。記者が「復讐はわたし（神）のすること」（ローマ12・19）という聖句を引いて疑問をぶつけると、その牧師は直ちに、「聖書には『目には目を』とも書いてあるではないか」と反論した、というのである。

16・1—9

しかし、主イエスは「目には目を」という同害復讐法を明確に否定している。「悪人に手向かうな」と教えた（マタイ5・39）のは、復讐は必ず際限のない悪循環を招く結果になるという実態を知っていたからである。だからこそ自分が苦しむことを覚悟の上で神に復讐を委ね、それによって悪循環を断ち切ろうとしたのである。これが新しい世界の倫理的規範として我々にも要求されている。イエスに従う者はここを読むときも、「神の裁き」を復讐の変形として理解することは許されないであろう。

だが、以上のことを認めた上で私は、「神の裁き」という思想にはやはり重要な意味があると考えずにはおれない。人間の世界には無数の正義がある。アラブの大義があり、ブッシュの正義があり、北朝鮮の正義がある。そして、常に「正義」を口にして戦争が行われる。むろん、それらの正義は絶対ではない。「笑うべき正義」とパスカルは言った。川一筋を隔てて向こうとこっちではまるで違う。それらすべての「正義」の上に「神の正義」があることが信じられなければ、この世界は拠り所を失うだろう。

エゼキエル書22章25—29節はこの世の現実を次のように書いている。「都の中に預言者たちの陰謀がある。獅子がほえ、獲物を引き裂くように、都の中で人々は食われ、富や財宝が奪われ、やもめの数は増した。祭司たちはわたしの律法を犯し、……高官たちは都の中で獲物を引き裂く狼のようだ。彼らは不正の利を得るために、血を流し、人々を殺す。……預言者たちは、……欺きの占いをし、主が語られないのに、『主なる神はこう言われる』と言う。国の民は抑圧を行い、強奪をした。彼らは貧しい者、乏しい者を苦しめ、寄留の外国人を不当に抑圧した」。預言者・祭司・高官など、正義を代表せねばならぬ人々がこんなことをしている！　義なる神がお許しになるはずがない。

「それゆえ、わたし（神）は憤りを彼らの上に注ぎ、怒りの火によって彼らを滅ぼし、彼らの行いの報いをその頭上に返す」（同22・31）と預言者は語る。人間は、自分の行いの報いを自らの頭上に呼び寄せる。ここで言われているのもこのことであろう。

最後に、これらの幻の現代的な意味を考えたい。第一の天使がその鉢の中身を地上に注ぐと、「獣の刻印を押されている人間たち……に悪性のはれ物ができた」（2）。「獣の刻印を押されている人間たち」とは、思い上がった権力者と、彼に従って他者を苦しめる者たちである。彼らには、自らの悪行の結果が降りかかる。地雷や劣化ウラン弾が、使った側の兵士たちにも重大な害を及ぼすように。

また、海や川や水源地帯の水が「死人の血のようになって、その中の生き物はすべて死んでしまった」（3）という所を読むと、我々は直ぐに足尾銅山の鉱毒事件とか、水俣の公害事件や諫早干拓の問題を思い出さずにはいられない。いずれも人間の思い上がりや愛の欠如が生み出した結果なのである。人は自分のしたことの結果を受けねばならない。神の裁きはこういう仕方でなされる。そして、それは「真実で正しい」（7）。

# 33　目を覚ましている人は　16・10―21

ヨハネ黙示録16章は、鉢を持った七人の天使が「七つの鉢に盛られた神の怒りを地上に注」ぐ（1）場面である。これは終末の時に行われる「神の裁き」を意味するが、前項でも述べたように、この裁きは「我々の復讐願望」を裏返しにしたものではない。人間の思いを超えて、神がご自身の意志に従って「真実で正しい」（7）裁きをしてくださるということである。そして、それは多くの場合、人間が行った悪がそのまま報いとなって人間に降りかかるという形で起こる。ここはその続きだ。

第五の天使が鉢の中身、つまり神の怒りを「獣の王座」（＝自己を絶対化する邪悪な支配者）に注ぐと、「獣が支配する国は闇に覆われた」（10）。これは、我々の世界の現実にそのまま当てはまるであろう。ナチス支配下のヨーロッパも、日本の軍国主義が支配していた頃のアジアもそうだったが、悪に支配された国は闇に覆われ、絶望的な苦しみがそこを支配した。その苦しみは永遠ではないが、しばらくは続く。

第六の天使が鉢の中身をユーフラテス川に注ぐと、「川の水がかれて、日の出る方角から来る王たちの道ができた」(12)。つまり、東の大国が攻め込んで来る道が開かれて戦争の脅威が現実のものとなり、「汚れた三つの霊が」(13)戦争の準備を始める。

最後に、第七の天使が鉢の中身を空中に注ぐと、稲妻、雷、大地震、雹《ひょう》などによる未曾有《みぞう》の大災害が起こる(18)。自然も人間の罪のゆえに本来のリズムを失ったかのようである。現在の環境破壊が元はと言えば人間の思い上がりから生じたように。——これらはすべて、人間の罪の結果がやがては人間の上に降りかかるという現実を暗示するものだ。

この中で、特に16節の「ハルマゲドン」という言葉に注目したい。

「ハルマゲドン」とは、ヘブライ語で「メギドの山」という意味である。メギドとはパレスチナ中部の地名である。旧約聖書によると、このメギドの周辺で、少なくとも三回の決定的な戦闘が行われた。先ず、士師記4章には、女預言者デボラがメギドでカナンの将軍シセラを破ったと記されている。次に、ユダの王アハズヤが将軍イエフと戦ってメギドで死んだ(列王記下9・27)。また、ユダ王国で宗教改革を実行したヨシヤ王は、このメギドでエジプトのファラオ・ネコを迎え撃とうとして戦死した(列王記下23・29)。こうした民族の記憶を呼び起こしながら、ヨハネは終末時に起こる決定的な戦いを暗示したのである。

しかし、この「ハルマゲドン」という言葉が我々の印象に残ったのは、奇妙なことに、オウム真理教の教祖麻原彰晃によってではないだろうか。

彼はかねてから、「現在の邪悪な社会は徹底的に破壊して、新しい理想社会を作らねばならない」と唱えていたが、やがて「自分たちの正義の集団が毒ガスで攻撃される」という被害妄想を抱くようになる。機関誌『ヴァジラヤーナ・サッチャ』は、「戦慄《せんりつ》の世紀末大予言。三年後、あなたはなぶり殺しにされる」といった類いの扇動的な記事を繰り返し載せて危機感を煽り、信徒たちに「この攻撃に対抗する手段を持たねばならない」と信じ込ませた。

こうしてオウムは武装を始め、九三年の末頃からはサリン製造を開始する。麻原がしきりに「九七年にハルマゲドン（最終戦争）が起こる」と言うようになったのはその頃だ。その場合、彼が言う「ハルマゲドン」とは、「自分たちが受ける邪悪な攻撃に対して教団の総力を挙げて最終的な反撃を加える」という意味であった。そして事実、翌九四年の六月二十七日には「松本サリン事件」を、そして九五年三月二十日には「地下鉄サリン事件」を起こして、多くの人を無差別に殺害し、負傷させた。

彼はその頃の説法でこう述べている。「私たちは、すべての魂を、できたら引き上げたいと、すべての魂を救済したいと考える。どうだ。しかし、時間がない場合、それをセレクトし、そして必要のない魂を殺してしまうこともやむなしと考える知恵ある魂がいたとしても、それはおかしくない。どうだ」。

明らかに麻原は、黙示録の「ハルマゲドン」を勝手に曲解して、「知恵ある魂(=麻原)の指導の下に必要のない魂を抹殺すること」と解釈していた。思い上がりも甚《はなは》だしい! 一体、「必要のない魂」など、この世にあるだろうか? そして、「必要のない魂」と「必要な魂」とを選別する権限が人間にあるだろうか?

これは何も麻原に限ったことではない。たとえばヒトラーのナチス・ドイツでも全く同じことが行われた。「必要のない魂」と「必要な魂」とを選別する。そして「必要のない魂」は虫けらのようにひねり潰す。支配者が絶対的な権力を握った所ではどこでも、こういうことが繰り返される。皇帝を神として礼拝することを強要し、服従しないキリスト教徒を迫害したローマ帝国も同じであった。

ヨハネは、悪霊どもが「神の大いなる日の戦いに備えて、全世界の王たちを集める」と書いている(14)が、自己を絶対化する邪悪な支配者たちが、神に逆らう戦いのために結束するのは世界の現実なのである。詩編2編2節にあるように、「なにゆえ、地上の王は構え、支配者は結束して主に逆らい、主の油注がれた方に逆らうのか」。神に敵対するこの戦いが「ハルマゲドン」なのだ。この戦いにおいて最後に勝利するのは神の愛と真実であり、キリストである。暴虐な権力者ではない!

この真理に「目を覚まし」(15)ている人は幸いである。

# 34　秘められた意味　17・1―18

17章全体の見出しは、「大淫婦が裁かれる」である。こういう表現には、ややいかがわしい響きがあって辟易するが、我々はここに秘められた意味を探らなければならない。

旧約の預言者がしばしば都を女性に喩《たと》えていることは参考になろう。たとえばイザヤはエルサレムを「娘シオン」（1・8）と呼び、この都が神の戒めに背いて信仰的・道徳的に堕落したときは、「どうして、遊女になってしまったのか、忠実であった町が」（1・21）と嘆いた。ヨハネもこの章の最後で「大淫婦」とは「地上の王たちを支配しているあの大きな都のことである」（18）と種明かししている。

では、この「大きな都」とは何か？　「多くの水の上に座っている」（1）とあるし、5節では「大バビロン」と言われているから、これはバビロンだとも思える。バビロンはユーフラテス川から引かれた無数の運河の上に栄えた都であった。しかし、ヨハネはここで「バビロン」の名を使ってはいるが、実は別の町のことを考えている。ローマである。

「地上の王たちは、この女とみだらなことをし、地上に住む人々は、この女のみだらな行いのぶどう酒に酔ってしまった」(2)というのは、皇帝も市民もローマで爛熟《らんじゅく》した甘い生活に「はまって」いたことを意味しているであろう。

ヨハネはまた、「赤い獣にまたがっている一人の女」(3)の幻を見た、とも言う。13章でもそうだが、「獣」とは邪悪な政治体制のことである。それは「赤い」色をしていた。当時、赤は非常に高価な色であった。そう言えば、大淫婦も「紫と赤の衣を着て」いた。そして、「金と宝石と真珠で身を飾り、忌まわしいものや、自分のみだらな行いの汚れで満ちた金の杯を手に持っていた」(4)。つまり、ローマは爛熟した物質文明の中にどっぷり漬かっていた。物の本によると、上流階級の人々は横になったままの姿勢で飲んだり食べたりし、腹が一杯になると別のものを味わうために、わざわざ胃の中のものを吐き出して口をゆすぎ、さらに飲み食いを続けたという。「グルメブーム」にうつつを抜かしているどこかの国に似ている。

さて、この獣は「全身至るところ神を冒瀆《ぼうとく》する数々の名で覆われて」(3)いた。つまり、これは本質的に神に逆らう体制であって、「七つの頭と十本の角」(3)を持つ。これについては7節以下で謎めいた解釈がなされているが、ここでは第一世紀にローマを支配した皇帝たちのことだ、と言うに止めよう。歴代皇帝の内、何人かはまともだったが、カリグラ、ネロ、ドミティアヌスなど、多くは道徳的退廃と理不尽なキリスト教徒迫害で知られている。

肝心なのは14節だ。「この者どもは小羊と戦うが、小羊は主の主、王の王だから、彼らに打ち勝つ。小羊と共にいる者、召された者、選ばれた者、忠実な者たちもまた、勝利を収める」。小羊とはキリストのことである。「獣」はキリストに勝てない。

卓越した経済力と軍事力によって当時の全世界を一極支配した大帝国。華やかな物質文明が次第に爛熟して行く中で贅沢《ぜいたく》をほしいままにしていたこの大帝国。皇帝を神として礼拝することを求め、自己絶対化の中で誇り高ぶっていたこの大帝国といえども、小羊（キリスト）には勝てない。これは、長く続いた迫害の後で事実となった。第四世紀前半コンスタンティーヌス帝のとき、この帝国は「奴隷の宗教」といわれたキリスト教に屈服する。コンスタンティーヌスはキリスト教に改宗、やがてローマはキリスト教を国教とするに至るのである。

かつてある集会で、私は旧約聖書に出て来る巨大な海中の怪物「レビヤタン」について話した。十七世紀の英国の政治思想家トマス・ホッブズが近代国家の在り方を説明するためにこれを持ち出したことは知られている。彼は『リヴァイアサン』（英語風の発音）という本でこう述べた。――人間は自然のまま放っておくと、「万人が万人と戦う」という状態になってしまう。これを避けるためには、個々人が自分の権利を放棄して主権者（＝王）に委ねるのがよい。主権者が「リヴァイアサン」にも比べられるような大きな力を持つことによってのみ社会の秩序は守られる、というのである。

ところで、文芸評論家の福田和也氏は、「リヴァイアサン」に言及して、米国の思想家R・ケーガン氏の論文「強さと弱さ」の内容を次のように紹介した。——カントの『永久平和論』のような、人間理性の進歩によって戦争は廃絶できるという理想論は現代ではもう通用しない。人間の自然状態は「万人が万人と戦う」（ホッブズ）ことであり、これを克服することができるのは、「リヴァイアサン」のような「怪物的な権力による恐怖と暴力だけ」だ。そしてそれは、軍事、経済、情報などすべての分野において卓越した力を持つアメリカである、云々。ケーガン氏は「アメリカ新世紀プロジェクト」（PNAC）の中心人物で、この政策集団の発起人には、イラク戦争の主役を担った閣僚たちがずらりと名前を連ねているという。福田氏はこう言う。「アメリカは、自らをリヴァイアサンだと任じ、国際法も国連も無視して、圧倒的な武力で理不尽に敵を叩き潰してみせた」。

アメリカは、その比類のない富と強さによって今の世界を動かす巨大な力である。正に現代の「レビヤタン」であり、「大淫婦」に似ていないことはない。だが、アメリカは、このような巨大な力でも、本当の意味で歴史を決定することはできないということを悟らなければならないだろう。「レビヤタン」は被造物の中で最も巨大で強力な存在だが、裁きの日に、「主は、厳しく、大きく、強い剣をもって逃げる蛇レビヤタンを……罰」する（イザヤ書27・1）と言われている。また、ヨハネは「小羊は主の主、王の王だから、彼らに打ち勝つ」（14）と言う。これこそ歴史の秘められた意味であろう。

# 35 おごり高ぶる者は裁かれる　18・1―9

18章は「バビロンの滅亡」について書いている。前項でも指摘したように、バビロンとはローマ帝国のことである。当時キリスト教徒は、帝国による厳しい迫害にさらされていたから、あからさまにローマを批判するようなことは口に出して言えない。だからヨハネは、過去の歴史的出来事に言及するようなふりをして「大バビロンが倒れた」(2)と言い、それによってローマ批判を行ったのだ。これは、一種の暗号である。

ついでに、少し脇道に逸れるが、代々木上原教会の門の上には「イクシュス」というギリシア文字のついた魚の形のエンブレムが掲げられている。ギリシア語で「イエス・キリスト・神の・子・救い主」と書き、その頭文字を取って順番に並べると「魚」という単語になるところから、迫害時代のキリスト教徒たちは密かな信仰告白として、あるいは支配者側に気取られずに相互に連絡をとるための暗号としてこれを用いた。それと同じである。

しかし、なぜ「バビロン」なのか？　当時、黙示録を読むすべての人にとって、「バビロン」は、歴史的大事件と結びついた周知の名前だったからであろう。

紀元前七世紀後半、メソポタミア地方ではそれまでのアッシリアに代わってバビロニアが覇権を握った。代表的な王はネブカドネツァル（紀元前六〇五―五六二）である。彼は大軍を率いてユダヤを侵略し、紀元前五八七年には首都エルサレムを占領する。こうして南王国ユダは滅亡、主だった人々はバビロンに強制連行された。名高い「バビロン捕囚」である。イラクのフセイン大統領が親衛隊の一つに「ネブカドネツァル軍団」という名を与えたと言われたが、それはこの有名な王のイスラエルに対する圧倒的な勝利にあやかりたいと思ったからであろう。

ところが、紀元前五三九年には新興ペルシア帝国のキュロス王がバビロンを征服し、五十年間捕囚であったユダヤ人を解放する。この「捕囚からの解放」は、「出エジプト」（エジプトでの奴隷状態からの解放）と並んで、深く民族の記憶に刻まれた。

ヨハネ黙示録が「大バビロンが倒れた」と書いたのは、「バビロン捕囚からの解放」という民族の記憶を呼び起こしながら、「今のローマ帝国による支配や迫害も決して長くは続かない、やがてバビロンと同じようにローマも倒れて、我々は解放される」ということを言うためであったろう。

「倒れた。大バビロンが倒れた」(2)。大ローマも倒れる。理由が3節に挙げられる。「地上の王たちは、彼女とみだらなことをし」たからだ。これは歴代の皇帝たちの退廃を指しているのであろう。

「みだらなこと」とあるが、これは性的な退廃に限らない。もっと広い意味で、人間的な退廃である。

たとえば、紀元三七年から四一年まで皇帝の位にあったカリグラは、自分は神であると言ってエルサレム神殿に自分の像を建てさせようとしたほか、ありとあらゆる悪行で知られる。最後は暗殺されたこの皇帝を描いた映画を見たことがあるが、胸が悪くなるほどだ。次に帝位に就いたクラウディウス（四一—五四年）は、四番目の后に毒を盛られて殺される。次が有名なネロ（五四—六八年）である。ローマの大火の元凶であり、キリスト教徒に罪を転嫁して迫害した。後に自殺する。ネロの後はしばらく収拾のつかないほどの混乱が続き、陰謀、暗殺、反乱、戦争が渦巻く。黙示録が書かれた頃の皇帝はドミティアヌス（八一—九六年）だが、彼も皇帝礼拝を推進するなど、多くの悪政を行った。そして、あろうことか自分の妻に殺される。「そこは悪霊どもの住みか、あらゆる汚れた霊の巣窟、あらゆる汚れた鳥の巣窟、あらゆる汚れた忌まわしい獣の巣窟となった」（2）と言われているのも、あながち誇張とは思われない。

皇帝ばかりではない。「地上の商人たちは、彼女の豪勢なぜいたくによって富を築いた」（3）。むろん、ヨハネは「商い」そのものが悪いと言っているわけではない。商行為は人間の生活にとってどうしても必要なものだ。どこの社会でも、謙虚な商人たちが慎ましく商いをしているお陰で、人々の暮らしは成り立って行くのである。だが、時として度を越したボロ儲けをして傲《おご》り高ぶる人々が現れる。

エゼキエル書26章以下に、海洋貿易で栄えた地中海沿岸の都市ティルスのことが書かれているが、この町の貿易業者たちは、美しく性能の優れた船を作り、地中海のあらゆる港と往来して商売をし、莫大な富を築いた。27章には品目リストが出ているが、それによれば銀・鉄・錫・鉛・青銅などの金属から馬・軍馬・らば・羊・山羊などの家畜まで、象牙・黒檀・トルコ石・さんご・赤めのうなどの高価な材料や宝石類から毛織物・亜麻織物などの布地、小麦・きび・蜜・油・乳香などの日常の食料品に及んだ。奴隷もある！　ティルスは大いに栄え、そして傲り高ぶる。「わたしの姿は美しさの極み」（27・3）と己惚《うぬぼ》れた。

だが、エゼキエルはこの町に向かって「お前の心は富のゆえに高慢になった」（28・5）と言った。だからバビロンのネブカドネツァル王によって滅ぼされると預言したのである。「軍馬のひづめで、町並みはすべて踏みにじられ、民は剣で殺され、巨大な柱は地に倒れる。彼らは財宝を奪い、商品を略奪し、城壁を破壊し、華やかな宮殿を壊し、石や木や土くれまで海に投げ込む」（26・11―12）。

そして因果はめぐり、そのバビロンも傲り高ぶりのゆえに倒れる。これが世界史の鉄則なのだ。ヨハネは、「おごり高ぶって、ぜいたくに暮らして」（7）いるローマも同じように倒れる、と警告する。「わたしの民よ、彼女から離れ去れ」（4）。今、世界の先進国と言われる国々はこのことを心に留めるべきではないだろうか。

# 36 大いなる都の不幸

18・9―19

ヨハネがこれを書いている時点では、ローマはまだ倒れていない。それどころか大いに繁栄し、いわば絶頂期にあった。よく「ローマの平和」（パックス・ロマーナ）と称えられるように、この大帝国は絶大な武力と経済力によって不平不満を抑え込み、その意味で「平和」を実現していた。「すべての道はローマに通じ」ていたし、皇帝は帝国内の至る所で「神」として礼拝されていた。

翳《かげ》りが現れるまでには、なお三百年の年月を経過しなければならない。帝国が東西に分裂したのは、皇帝テオドシウスの死後、三九五年である。ゲルマン民族の侵入によって西ローマ帝国が滅びたのは、それからさらに百年ほど経った四七五年のことであり、東ローマ帝国がトルコに滅ぼされたのはずっと後の一四五三年である。

だから、ヨハネが黙示録を書いた頃、誰にも見えるような形でローマに滅亡が迫っていたわけではない。にもかかわらず、ヨハネはローマの滅びを預言する。一体、彼は、どのような根拠をもって「ローマは倒れる」と言ったのか？　それは、「驕《おご》る平家は久しからず」というような歴史上の一般論に過ぎないのだろうか？

　ヨハネは、鋭敏にもローマの繁栄の陰に大きな問題が潜むことを見抜いていた。そして、この箇所で三つの要素を挙げている。すなわち、「地上の王たち（皇帝）」（9）と、「地上の商人たち」（11）と、「海で働いているすべての者たち（海運業者）」（17）である。この三者、つまり政治と商業と流通が緊密に結び合って、いわば「癒着の構造」を形成していた。それは空前の経済的繁栄をローマにもたらしたが、その富と贅沢《ぜいたく》は今挙げた少数の人々、つまり権力者とそれに群がる利権集団に独占されていた。

　だが、そのような生き方がいつまでも許されるはずはない。やがて必ず神の裁きを受ける。ヨハネは「イエスと結ばれて、その苦難、支配、忍耐にあずかって」（1・9）いたがゆえに、この歴史的洞察を与えられたのであった。

　さて、黙示録18章にはエゼキエル書26—28章の影響が見られる。紀元前六世紀の預言者エゼキエルは自分が属する南王国ユダの堕落を厳しく責め、同時に近隣諸民族の罪をも指摘した。その中にティルス（ツロ）に関する長い文章がある。

　ティルスは地中海岸に位置し、「海の出入り口を支配し、多くの島々を巡り、諸国の民と取り引きを行う」（27・3）都市であった。美しく、堅牢で船足の速い船を多く建造し、地中海を自分の庭の

18・9—19

ように往来して、あらゆる商品を運んだ。

27章に貿易品目のリストがある。そこには「銀、鉄、錫、鉛、青銅、銑鉄」などの鉱物、「馬、軍馬、らば、小羊、雄羊、山羊」などの家畜、「象牙、黒檀、トルコ石、さんご、赤めのう、あらゆる宝石、黄金」といった宝飾材料、「毛織物、布地、亜麻織物、豪華な衣服、紫の衣、多彩な敷物」などの織物類、「小麦、きび、蜜、油、ぶどう酒、乳香、桂皮、香水萱、極上の香料」などの食材や香料が列挙され、その中には「奴隷」も含まれていた！　黙示録は、このリストをほとんどそのまま採用している。

ティルスは、「知恵と悟りによって富を積み、金銀を宝庫に蓄えた。お前は取り引きに知恵を大いに働かせて富を増し加え」た（28・4—5）とエゼキエルが書いているように、抜け目のない貿易によって莫大な富を蓄積した（小さな島国が「経済大国」になったのと似ている！）。だが、その後で預言者は、「お前の心は富のゆえに高慢になった」と言って、ティルスを厳しく批判する。その高慢のゆえに、この町は神の裁きを受けて滅びなければならない！

ヨハネは、ローマについて、これと同じことを言うのである。

「彼女とみだらなことをし、ぜいたくに暮らした地上の王たち（皇帝）は、彼女（ローマ）が焼かれる煙を見て、そのために泣き悲しみ、……不幸だ、不幸だ、大いなる都、強大な都バビロン、お前は、ひとときの間に裁かれた」(9―10)と嘆くだろう。

多くの「商品を扱って、彼女から富を得ていた商人たちは、……泣き悲しんで、……不幸だ、不幸だ、大いなる都、麻の布、また、紫の布や赤い布をまとい、金と宝石と真珠の飾りを着けた都。あれほどの富が、ひとときの間に、みな荒れ果ててしまうとは」(15―17)と言うようになるだろう。

そして、「すべての船長、沿岸を航海するすべての者、船乗りたち、海で働いているすべての者たちは、……泣き悲しんで、……不幸だ、不幸だ、大いなる都、海に船を持つ者が皆、この都で、高価な物を取り引きし、豊かになったのに、ひとときの間に荒れ果ててしまうとは」(17―19)と叫ぶことになるだろう。

大いなる都、繁栄と贅沢の象徴であったローマは滅びる。「お前の望んでやまない果物は、お前から遠のいて行き、華美な物、きらびやかな物はみな、お前のところから消えうせて、もはや決して見られない」(14)。

要するに、ヨハネは目の前の繁栄に目を奪われてはいないのである。歴史を「永遠の相の下で」見て、ローマも高ぶりによって滅亡する、と言う。神が我々に望んでおられるのは、経済力や軍事力を誇って自ら高ぶる生き方ではない。主イエスとその愛に結ばれた、静かで謙虚な生き方だ。これこそが、永遠の価値を持つのである。

# 37 神はあなたがたのために　18・20―24

ヨハネはここで先ず、「天よ、この都のゆえに喜べ。聖なる者たち、使徒たち、預言者たちよ、喜べ」(20) と呼びかける。「この都の滅亡のゆえに喜べ」という意味だ。これには抵抗を感じる人も多いだろう。ローマが神の裁きを受けて滅びるのは、「悲しむべきこと」ではないか。それを「喜べ」というのはいかがなものか？

ドイツ語に「シャーデンフロイデ」という言葉がある。「シャーデン」は損害あるいは不幸。「フロイデ」は喜びのことだ。だから、「シャーデンフロイデ」は人の不幸を「ざま見ろ」と嘲笑《あざわら》う意地の悪い喜びのことだ。これは、「いじわるばあさん」(長谷川町子) のような漫画の世界では許されても、実際の生活の中でこれをやられると傷つく。黙示録は、この「シャーデンフロイデ」を認めているのだろうか？

ヨハネは言う。「大いなる都バビロン」、つまりローマが、大きなひき臼のように「荒々しく投げ出され」る (21)。預言者エレミヤは、バビロンに襲いかかるすべての災いを一巻の巻物に記し、それに大きな石を結びつけてユーフラテス川に投げ込んだことがあるが（エレミヤ書51・60―63）、ローマも海に投げ込まれて滅びる、と。

22―23節にあるヨハネの記述は物悲しい。このエキサイティングな世界都市を賑わしていた歌舞音曲は止み、高い技術を持った職人たちの仕事も、粉を碾《ひ》いてパンを焼きパスタを捏《こ》ねる作業も、夜ごと灯されるパーティーの灯火も、豪華な結婚披露宴の華やいだ歓声も消えてしまう。ローマの滅亡は、今まで富と贅沢《ぜいたく》を独占していた人々にとってはもちろんであるが、ヨハネにとっても悲しいことだ。

この物悲しい言葉は、私に直ぐコヘレトの言葉12章を連想させた。人の一生に終わりが来ることを印象深く描き出した箇所である。「その日には、家を守る男も震え、力ある男も身を屈める。粉ひく女の数は減って行き、失われ、窓から眺める女の目はかすむ」（12・3）。「家を守る男も震え」というのは年をとると筋肉や骨が弱くなることを意味しているという。「粉ひく女の数は減って行き」は、歯が抜けることである。そのように容赦なく老いの現実を暴くような記述が続く。視力も衰える。耳も遠くなる。転び易くなる。そういうことを考えると、「すべては空しい」という物悲しい気分に襲われる。これはコヘレトの本音であったろう。私も共感できる。

ローマのように栄華を極めた都が滅びるのも、同様に悲しいことだ。どうしてそれを単純に喜ぶことができよう？　にもかかわらず「喜べ」というのは何故だろうか？

18・20―24

その理由は20節後半に示される。神が「あなたがたのためにこの都を裁かれたから」! それをさらに具体的に、「商人たちが地上の権力者となった」からだという。つまり、経済的、政治的権力を持つ少数の者たちが互いに「癒着」して地上の富を独占しただけでなく、「すべての国の民が惑わされ、預言者たちと聖なる者たちの……血が、……流された」(23―24)とあるように情報を操作し、罪なき人々を迫害し、殺した。だが、神はこのような不正をいつまでも放置してはおかれない。神はこれらの不正・不義を必ず裁きたもう。不正は終わりを迎える。それを「喜ぶ」のは、決して「シャーデンフロイデ」ではない。むしろ逆だ。ローマの古い諺は「人は人に対して狼である」というが、そういうことがなくなる、というのである。弱肉強食はなくなる。だから喜べ! 「乳飲み子は毒蛇の穴に戯れ」る(イザヤ書11・8)ような真の「シャローム」が来る。だから喜べ!

コヘレトも「すべてに耳を傾けて得た結論。『神を畏れ、その戒めを守れ。』これこそ、人間のすべて。神は、善をも悪をも一切の業を、隠れたこともすべて裁きの座に引き出されるであろう」(12・13―14)、と言っている。神がこのように裁いてくださるということに目を留める時、「空しさ」は克服され、人生は生きるに価するものとなる。

二〇〇三年六月二十六日に、恩師・井上良雄先生の葬儀があった。すべての参列者にシュザンヌ・ド・ヴィスムの『その故は神知り給う』が、「故人が大きな励ましを受け、愛したこの書簡集を、生前のよきお交わりへの感謝をこめて、お贈りいたします」という綾子夫人の言葉を添えて贈られた。

井上先生は戦前、左翼の運動に参加し、傍ら優れた文芸評論を書いて知られた人物である。『芥川龍之介と志賀直哉』は今日でも評価が高い。だが、戦争末期、彼は「いろいろな意味で疲労困憊していた」。その中で信濃町教会に通うようになっていたが、ある日、福田正俊牧師からこの書簡集の原書を手渡されて、読むように勧められた。シュザンヌはスイス人牧師の妻で、一九三二年十一月二十七日に天に召されるのだが、二年の闘病生活の間、病床から愛する夫に宛てて美しい手紙を書き続けた。この書簡集を井上先生は「その日のうちに、一気に読了した」。彼は書いている。「読み終わって、私は感嘆した。この女らしい、優しい手紙の中を貫いている、不思議な力は何だろうか」。そして彼は、この本から最大の賜物を受け取る。それは、「人生は生きるに価する」という確信であった。

受洗後、彼が最初の仕事として取り組んだのがこの本の翻訳であった。それ以来、どれほど多くの人々がこの書簡集から人生の励ましを受けたことであろう。「どうぞ、勇気を失わずにいて下さいませ。そして上を見上げるように致しましょう。多分、それは涙と共にではございましょうけれど、矢張り上を見上げるように致しましょう」（一九三〇年九月十九日）。

そうだ。上を見上げる！　正しく裁いてくださる神があなたのために天に在ます限り、人生は生きるに価するのである。

# 第3部

## 聖なる都の回復　第19章1節－第22章5節

A　天上界のハレルヤ・コーラス　19・1–10

B　最後の七つの幻視　19・11–22・5
　キリストの来臨　19・11–16
　最後の決戦　19・17–21
　サタンの捕縛　20・1–3
　千年支配　20・4–6
　ゴグ・マゴグの敗北　20・7–10
　最後の裁き　20・11–15
　新しいエルサレム　21・1–22・5

## 結び　第22章6–21節

# 38　神をほめたたえよ　19・1―10

黙示録17章では、「大淫婦」（＝ローマ）の姿が毒々しく描写された。神を冒瀆《ぼうとく》する数々の名で全身を覆われた「赤い獣にまたがっている」（3）とか、「紫と赤の衣を着て、金と宝石と真珠で身を飾り、忌まわしいものや、自分のみだらな行いの汚れで満ちた金の杯を手に持って、……イエスの証人たちの血に酔いしれている」（4―6）とか。

18章では、その大淫婦の悪行が具体的に描かれた。「おごり高ぶって、ぜいたくに暮らしていた」（7）とか、政治的権力者たちと「みだらなことを」（3）したとか。そして商人たちは「彼女の豪勢なぜいたくによって富を築いた」（3）。それだけではない。そのような政治と経済の一極集中によって「預言者たちと聖なる者たちの血……が、……この都で流された」（24）。ローマが「ひとときの間に裁かれた」（10）のはこのためだ、と言う。

19章はそれを受けて、神は「みだらな行いで地上を堕落させたあの大淫婦を裁き、御自分の僕《しもべ》たちの流した血の復讐を、彼女になさった」（2）という。そして、「大淫婦が焼かれる煙は、世々限りなく立ち上る」(3)。

おそらく我々は、「血の復讐」という言い方に違和感を覚えるであろう。主イエスは「復讐するな」(マタイ5・38―42)と教えられたのに、ヨハネはここで復讐を正当化するような言い方をしている。これをどう考えればよいのか？　当時のキリスト教会は、国家権力による迫害という状況の下で、「今に見ていろ」と復讐を考えることで辛うじて自らを励ましていたのだろうか？　確かに、キリスト教はその時々で少しずつ変わってきたから、黙示録にもそういう変化がないとは言えない。

ここで、キリスト教二千年の歴史を大雑把に振り返っておこう。最初、少数の信者の集団に過ぎなかったキリスト教はイエスの教えに忠実だった。第二世紀頃から急速に勢力を拡大し、この量の変化は、当然、質の変化をもたらした。特に、第四世紀にローマ帝国の国教になって教会が支配者の地位についてからは、自らを低くして他者に仕えるというイエスの生き方は忘れられ、「山上の説教」は余りに理想主義的であるとして無視された。もちろん、アッシジのフランチェスコのような人はいたし、一筋の清らかな流れは絶えることがなかった。それは、我々にとって救いである。だが、全体として見れば、教会は、イエスに従うよりも現実的な政治の力学に従う集団に変質してしまった。中世はしばしば「暗黒の時代」といわれるが、教会はこの世的な力で世界を支配しようとし、十字軍戦争を仕掛けたり、異端審問によって内部の敵を殺したり、死刑という「血の復讐」を行ったりした。明らかにイエスの教えからの逸脱である。

しかし、このような行き方は、第一次世界大戦の時に破綻する。なにしろ、「キリスト教的ヨーロッパ」に属するキリスト教国同士が、近代科学の粋を集めて開発した新兵器（機関銃、戦車、潜水艦、飛行機、毒ガス）を使って、血で血を洗う大戦争を繰り広げたのだ！　人々は、「西洋の没落」を実感した。「キリスト教絶対主義」はもはや通用しなくなった。

しかし、この挫折を通して「聖書をもう一度、ちゃんと読まなければならない」という深刻な反省が起こったのは良いことであった。研究が深められてイエスへの回帰が起こった。イエスのように、苦しむ人々の視点から物事を見ることの意味が再発見された。ボンヘッファーの言う「下からの視点」である。教派間の不毛な論争は終わり、教会の壁を越えた、エキュメニカルな協力による世界平和への努力が始まった。今、我々はこのような時代に生きているのである。そのような者として、我々は「血の復讐」というような言い方を単純に受け入れることはできない。先ほど、黙示録の表現に「違和感を覚える」と言ったのはそういう意味だ。

しかし、以上のことを考えた上で、我々は、この箇所には実に大切なメッセージがあることを認めなければならない。

特に、５節以下の「小羊の婚宴」という箇所である。「小羊」とは言うまでもなくイエス・キリストのことだ。柔和な小羊、力とは無縁の小羊が、あの大淫婦の毒々しい姿とは全く対照的に「輝く清い麻の衣を着せられた」(8)花嫁と婚礼を挙げる。そのように清らかな喜びと祝福に満ちた時が来る。地上を堕落させたあの大淫婦に対する「真実で正しい」(16・7)神の裁きが行われる。悪い時代が過ぎ去り、新しい時が始まる。小羊の婚宴! それに、我々も招かれているというのである。

確かに、「血の復讐」という表現はイエスの教えと矛盾するように見えるかもしれないが、その印象に引きずられてはならない。

たとえば、イエスは旧約聖書をどう読んだか? 彼は、律法の中で最も重要な掟は「神を愛せよ」と「隣人を自分のように愛せよ」の二つであると言い、この最も重要な言葉に集中することによって全体を把握した(マタイ22・34―40)。旧約聖書には受け入れ難い箇所が多くあるが、イエスは、その中心には「愛」があることを洞察した。この「愛」を通して旧約聖書の全体を理解したのである。このイエスのように、そしてこのイエスを通して、我々は聖書の全体を理解しなければならない。聖書のいかなる言葉もイエスのように読み、イエスを通して理解する。これが大切である。

その時、「ハレルヤ、全能者であり、わたしたちの神である主が王となられた」(6)という賛美が真に我々のものとなる。ヘンデルがオラトリオ《メサイア》の中で、心を込めて曲をつけたように、我々も心から「ハレルヤ! 神をほめたたえよ!」と歌いたい。

# 39　白馬の騎手

19・11―21

ここで「白馬の騎手」が登場する。私はここを読んだとき、たしかアルブレヒト・デューラー（十六世紀のドイツの画家）に有名な木版画があったな、と思い出した。そこでデューラーの画集を持ち出して調べてみると、「黙示録の騎士」という作品（木版画連作《黙示録》一四九八年）が見つかった。

しかし、よく見ると、この作品は黙示録19章ではなく6章を題材にしたものだ。念のために6章を開いてみよう。先ず、「小羊が七つの封印の一つを開いた。すると、四つの生き物（＝天使的な存在）の一つが、雷のような声で『出て来い』と言うのを、わたしは聞いた」（1）とある。デューラーは、この言葉を先ず天使の姿で上の方に描いた。そして、天使の声に応じて左の方から馬に乗った四人の騎士たちが画面中央に駆け込んでくる。馬は戦いの象徴だ。つまり、終末の戦いが起こるという意味である。

一番右に第一の騎士がいる。無彩色の木版画なのが残念だが、6章によれば、天上の色である白い馬にまたがり、「勝利の上に更に勝利を得」る（2）ために、弓を持ち、神から与えられた冠をかぶっている。二番目の騎士は血の色である赤い馬に乗り、「地上から平和を奪い取」る（4）ために大きな剣を振りかざしている。第三が、神の裁きを表す黒い色の馬にまたがった騎士で、「手に秤を持っていた」（5）。秤も神の裁きのシンボルである。最後の騎士は、死体の色である青白い馬にまたがっている。「乗っている者の名は『死』といい、これに陰府が従っていた」（8）。この言葉を、デューラーは正確に表現した。騎士も馬も骸骨のように痩せ細り、その足元には何人もの男女が息も絶えに倒れている。このように、終末の前兆としてさまざまな災いや苦しみが襲う。これをデューラーは、素晴らしい木版画に描いた。

さて、19章には、6章と同じように白い馬に乗った騎手が登場する。これは、歴史がさらに終局に近づいて最終段階に入ったことを示唆している。だが一体、この「白馬の騎手」とは何者だろうか？

彼は「誠実」、また「真実」（11）と呼ばれている。さらに、「正義をもって裁き、また戦われる」（11）といい、「頭には多くの王冠が」（12）あった。これは、彼には権威と力があるという意味である。そして「この方には、自分のほかはだれも知らない名が記されていた」（12）。「知る」というのは、聖書では多くの場合、「支配する」という意味で使われる言葉だから、この方は誰にも支配されることのない絶対的な力がある、ということであろう。これは誰のことか？　イエスか？

やがてその謎が解かれる。「その名は『神の言葉』と呼ばれた」（13）というのがそれだ。ヘブライ人への手紙4章12節に、「神の言葉は生きており、力を発揮し、どんな両刃の剣よりも鋭く、精神と霊、関節と骨髄とを切り離すほどに刺し通して、心の思いや考えを見分けることができる」とあるように、ヨハネも「口からは、鋭い剣が出ている」(15)とか、「諸国の民をそれで打ち倒す」とか、「鉄の杖で彼らを治める」(15)とか言う。これらは神の言葉の特性だ。

この世界では、虚偽や詭弁《きべん》によって言葉が信頼を失ってしまった。しかし、いつまでもそのままではいない。やがて、神の真実な言葉が力を発揮して勝利する！　だから、神の言葉には「王の王、主の主」(16)という名が与えられる。これは深い慰めだ。

それにしても、この神の言葉に関して、凄まじい表現が使われるのは何故だろうか？「血に染まった衣を身にまとって」いる(13)とある。これは「戦いで敵を蹂躙《じゅうりん》した時に受けた返り血で衣服が汚れた」(佐竹明)様子を示すものだ。他にも、「全能者である神の激しい怒り」(15)を込めて「ぶどう酒の搾《しぼ》り桶を踏む」(15)とか、すべての鳥に「王の肉、千人隊長の肉、権力者の肉」(18)を食べさせるとか……。

「戦い」、「剣」、「殺す」といった言葉は、すべて戦争の用語である。要するに、これが当時の「思考パターン」だったのである。この軍事的な思考パターンは普遍的で、今日に至るまで世界を支配している。卑近な例を挙げれば、我が国でも外国の元首を迎えるときに、儀仗兵の閲兵、サーベル、礼砲といった軍事的なスタイルをとる。誰も不思議に思わない。紀元一世紀末のヨハネ黙示録が軍事的な用語の世界から抜け出せないでいたのも無理はないかもしれない。

イエスも譬《たと》えの中で、「天の国は力ずくで襲われており、激しく襲う者がそれを奪い取」る（マタイ11・12）というような言い方をしたことが何度かある。そうした思考回路の中で生きていた民衆にはその方が分かり易いと思ったからであろうか？

だが、肝心かなめのところでは彼は柔和であった。「柔和」というのは、ただ「腰が低い」というのとは違う。武力や暴力には断じて訴えないという姿勢のことである。彼は軍馬には乗らない。ろばに乗る。彼は決して狼になろうとはしない。徹底して柔和な小羊であり続けるこのイエスが黙示録の至る所で息づいているのである。だから、どれほど激しい言葉遣いがあるとしても、それに目を奪われてはならない。黙示録の中心にはイエスが立っているのだ！　徹底して他者を愛したイエス。どんな人とも愛し合って共に生きて行くべきことを教えたイエス。野の花や空の鳥、小さな子供たちや虐げられた人々など、この世で最も小さいものの命を慈しんだイエス。そのイエスの言葉が「神の言葉」なのであり、これが最後には一切を支配するであろう。白馬の騎手とは、結局、このことの象徴なのである。

# 40　キリストと共に　20・1―6

「千年王国説」、あるいは「至福千年説」というのは、ヨハネ黙示録20章から来ている。天使が降って来て、本当の終末に先立つ千年間、悪魔の活動を抑え込むというのだ。「悪魔でもサタンでもある、年を経たあの蛇、つまり竜を取り押さえ、千年の間縛っておき、底なしの淵に投げ入れ、鍵をかけ、その上に封印を施して、千年が終わるまで、もうそれ以上、諸国の民を惑わさないようにした」（2―3）とあるのがそれだ。

そして、「イエスの証しと神の言葉のために、首をはねられた者たち」（4）、つまり、信仰の純潔を守って殉教の死を遂げた義人たちは「生き返って、キリストと共に千年の間統治」する（4）といわれる。それで「千年王国」というのである。

この「千年王国説」は、迫害下にあった初代のキリスト教会の一部に、熱狂的に受け入れられた。エイレナイオス、テルトゥーリアヌスといった教父たちの影響もあったらしい。中世以降になってからも、ペストや大飢饉《ききん》、農民一揆、革命といった社会的な危機が起こると、あるいは産業革命のような変動期には、この教説はくり返し息を吹き返した。不安に苛《さいな》まれていた人々に訴えるものがあったからであろう。現代でも、「モルモン教」や「エホバの証人」など、どちらかと言えば、いわゆる主流派の教会ではない集団に支持されている。それは、彼らが「異端」として迫害された経験を持つからではないか。

このように「千年王国説」は、社会的不安の中で、現状の根本的な変革と社会全体の救済を望む一種のユートピア待望なのだ。ややもすれば熱狂主義的になる傾向があるから、公式の教理としてすべての教会に受け入れられているわけではない。だが、ヨハネがここで言っていることには大きな意味があった。彼は、迫害の下で苦しみ、かつ動揺している信徒たちを慰め、励ますためにこれらの幻を語ったのである。私はその点に注目したい。

先ず、「千年」という時間の長さには何か特別な意味があるのだろうか？

この数は、詩編90編4節の、「千年といえども御目には昨日が今日へと移る夜の一時にすぎません」という言葉から導かれたと言われている。「千年」は、人間にとって長く感じられる時間である。だが、それも神にとってはほんの一瞬に過ぎず、神の目には「千年も一時と同じ」だ。預言者イザヤが、「天が地を高く超えているように、わたしの道は、あなたたちの道を、わたしの思いはあなたたちの思いを、高く超えている」（55・9）と言ったように、神の尺度と人間のそれとは全く違う。

ある男が、天国で神と会話をしている夢を見た。「神様、あなたにとって百万年とはどれほどの長さですか」と尋ねると、神は「わずか一分間だ」と答えた。「では、あなたにとって百万ターレル（百億円？）とはどれほどですか」。「ああ、ただの一グロッシェン（百円？）ほどだ」。男が、「ああ、愛する神様、どうか私に一グロッシェン下さい」と言うと、神は答えた。「一分だけ、待ちなさい」！

これはカンペンハウゼンというドイツの教会史家が紹介している笑い話だが、単なる「ヨタ話」ではない。我々は笑いながらも、「神の尺度と我々人間の尺度とは全く違う」ということを考えさせられる。詩編の言葉も重点はそこにあるのだが、黙示録はそのことも含めて、「千年」という長さを取り入れたのであろう。

ところで、「千年王国説」のルーツが後期ユダヤ教の時代にあったということは重要である。祖国を失い、エルサレム神殿も失って離散したユダヤ人は、安息日に会堂に集まって律法を学ぶという形で信仰を守り続けたが、その中でも「この苦しみはやがて必ず終わる」と信じていた。ヨハネ黙示録はこの信仰を受け継いだのだ。

初代のキリスト教徒たちも、ローマ帝国による迫害に苦しみながら、「このような不義の世界はやがて終わる」と信じた。その後で、世界は再び新しく創造され、正しく生きた人々は救われる。正しい者たちは復活を許され、キリストと共に統治する時を与えられる。「至福の千年」が到来するだろう。それはまだ本当の終末ではない。歴史の結論はまだ出ていない。それに先立つ千年間だ。しかし、その間はサタンも自由に動きまわることができないように閉じ込められる。彼らは、このことを信じ耐え難い苦難を生き抜いたのである。これは、混迷の中にある現代の我々にとっても意味のあることではないか。

私たちの先行きは、どうなるのか？　我々の世界はどこへ行くのか？　それを思うと、我々は不安に閉ざされる。冷戦が終わったにもかかわらず、このチャンスを生かしきれずにいる我々の世界。北朝鮮や中国の脅威を口実に、事実上「軍国主義」への道を突き進んでいる私たちの国。その中で、悪化するばかりの地球環境。子供の世界まで蝕むようになった暴力。

一体、我々はどこへ行こうとしているのだろうか？

ヨハネ黙示録はその問いに答える。悪しき支配は必ず終わる。神は、正しく生きようと真剣に祈り、そして努力している者たちを決して見捨てたまわない。「キリストと共に統治する」のは彼らなのだ。ここに、我々の希望がある。

# 41 命の書に記される

20・7―15

ヨハネ黙示録による黙想も次第に終わりに近づいて、あと2章を残すだけとなった。このへんで、最も大事なことをいくつか再確認しておきたい。

ヨハネ黙示録は謎めいた独特な文体を持っているが、その主題は意外に単純だ。世界はこれからどうなるのか？　これは、いろいろな意味で先行きに不安を感じている現代人にとっても、真剣な問いである。この問いに対して、黙示録はこれまた単純に、「現在の状態がいつまでもダラダラ続くということはない、やがて終末が来る」と答える。いわゆる「終末論」である。

この「終末」は、「恐ろしい破滅」を意味するかのようにしばしば誤解されているが、それは違う。黙示録の終末論は、21章以下で明らかになるように、やがて救いが完成され、天と地の一切が新しくされるということなのである。黙示録に限らず、聖書の終末論は「希望の教説」（熊野義孝）なのだ。

それに先立ってさまざまな災いや苦しみが襲うと書かれているから、読者は恐怖を感じるかもしれないが、これはやがて来るべき終末の完成の前兆なのである。

この点は、我々を深く考えさせないだろうか。現在我々が繰り返し経験している災いや苦しみ、不安といったものは、滅びの前触れではなく、実に救いの前兆なのだとヨハネは言う。イエスも「これらは産みの苦しみの始まりである」（マルコ13・8）と言われた。だから、「最後まで耐え忍ぶ者は救われる」（マルコ13・13）と。この逆転の発想こそ黙示録の最大の特色である。これまで読んで来た所でも、災いや苦難の預言がイヤというほど繰り返されたが、苦しみは大きければ大きいほど、実は終末の救いが近いということなのだ。これは、我々にとって深い慰めではないだろうか。

さて、前項で私は「千年王国」について述べた。終末に先立って千年間の「至福の時」が訪れる、というのである。サタンは、もうこれ以上人々を惑わすことができないように縛られて、千年の間底なしの淵に閉じ込められる。そして、信仰の純潔を守って殉教の死を遂げた義《ただ》しい人たちは生き返ってキリストと共に千年の間統治する、というのである。「至福の千年」が到来する！

だが、それですべてがめでたく終わるというわけではない。「この千年が終わると、サタンはその牢から解放され」る（7）。サタンがまた出て来る！　ベートーヴェンの交響曲の最終楽章は、もう終わるかと思ってもなかなか終わらない。黙示録が見るこの世の現実も、しばしばそのようである。サタンは再び牢から解放される。そして、「地上の四方にいる諸国の民、ゴグとマゴグを惑わそうとして出て行き、彼らを集めて戦わせようとする」（8）。

20・7―15

「ゴグとマゴグ」。この怪しげな名前は、一体、何を意味するのか？

ヨハネはここで、明らかにエゼキエル書38章を念頭においている。その2節に「マゴグ」が出て来る。これは地名らしい。黒海南東、あるいは小アジアのカパドキア辺りではないかと言われる。イスラエルから見ると北に当たる。そして、38章15節には、ゴグが「北の果ての自分の所から、多くの民を伴って来る」とある。恐らく「ゴグ」とは北からの脅威、恐らくは騎馬大軍団の襲来を象徴的に示す名であろう。「至福千年」の後でもなお、サタンはゴグとマゴグを惑わして戦争を起こさせると、ヨハネ黙示録は言う。「彼らは地上の広い場所に攻め上って行って、聖なる者たちの陣営と、愛された都とを囲んだ」（9）。戦争の脅威はなかなかなくならない。これは世界史の現実である。

二十世紀は「戦争の世紀」と言われた。日本軍による中国侵略。ナチス・ドイツが引き起こした世界戦争。朝鮮戦争やベトナム戦争。そして、近年では米英軍によるイラク攻撃。あるいはシリアの内戦。このような戦争の脅威はこれからも繰り返されるかもしれない。しかし、その後で、終末の救いが来る。世界は決して滅びに定められているのではない。

その時こそ、神はこれらの軍団に立ち向かうとヨハネは言う。「天から火が下って来て、彼らを焼き尽くした」（9）。これは、単に相手の部隊を打ち負かすというよりも、戦争そのものや軍事力そのものの廃絶を意味するであろう。旧約の詩人が歌ったように、「主はこの地を圧倒される。地の果てまで、戦いを断ち、弓を砕き槍を折り、盾を焼き払われる」(詩編46・9—10)。

その後で、最後の裁きが来る。死者たちは皆、神の御座の前に出て、その「行いに応じて裁かれ」(12)なければならない。その際、「幾つかの書物が開かれた」(12)とある。これは、いわば神の御手の中にある高性能のコンピュータのようなものだ。そこには、我々人間が生きている間何をしたか、どういう生き方をしたか、すべてのデータが細大洩らさずインプットされている。それを神は瞬時に引き出して裁く。

もう一つコンピュータがある。それは「命の書」(12)と言われている。「命の書」には、救われるべき人々のデータがすべて保存されている。ここに名を記されていない者たちは、「火の池に投げ込まれた」(15)。

では、どのように生きれば我々の名は「命の書」に登録されるのか?

今日読んだところにヒントがある。たとえば、戦争はサタンの業である、と明確に言われている。戦争は神の御心ではない。だから、やがて必ず廃絶される。サタンの業である戦争を断じて肯定しないこと。それが、「命の書」に登録される道なのではないか。

# 42　新しい天と新しい地　21・1―8

ニュースを見る度に、「何という世界だろう」と呆れることが多いこの頃だ。平和を願う人々の祈りや、善意の人々の懸命の努力を踏みにじるようにして、憎しみと暴力の悪循環が際限なく繰り返される。理性的に考えれば、暴力によって問題は何一つ解決されず、むしろ事態は悪化するだけだということが分かり切っているのに、この悪循環をどうしても止めることができない。一体、何故だろうか？　深い所で絶望しているからではないか。

使徒パウロは、ローマの信徒への手紙の中で、絶望的な情況の中でもなお希望を持つことについて語った。「見えるものに対する希望は希望ではありません。現に見ているものをだれがなお望むでしょうか。わたしたちは、目に見えないものを望んでいるなら、忍耐して待ち望むのです」（8・24―25）。我々は今、切実な思いでこの言葉を噛みしめる。「目に見えないものを望む」とは、人間の可能性を超えた神の可能性、十字架上で死んだイエスを甦らせた神の大能の力への信仰から来る希望のことである。

パウロは、この希望によって生きる人は「苦難をも誇る」と言い、さらに「わたしたちは知っているのです、苦難は忍耐を、忍耐は練達を、練達は（さらなる）希望を生むということを。希望はわたしたちを欺くことがありません」（ローマ5・3―5）と続けている。これこそは、「いつか滅びへの隷属から解放されて、神の子供たちの栄光に輝く自由にあずか」る（同8・21）という希望なのである。我々の世界は、この希望を棄ててしまった。それが最大の問題なのではないか。

希望を棄てた人は、より良き将来を期待することも、他者に対して善意を持ち続けることも、忍耐することもできなくなる。短絡的になり、自暴自棄になって直ぐに暴力に訴えようとする。暴力こそは絶望のしるしだ。今の世界は、正にこれではないか。絶望の泥沼！　それは一体、いつまで続くのか？　世界はこれからどうなるのか？　ヨハネ黙示録は、21章以下でこの重苦しい問いに答えているのである。

先ず、「最初の天と最初の地は去って行き、もはや海もなくなった」（1後半）という言葉に注目したい。

「最初の天と最初の地」とは、古い世界、つまり、我々の現実世界のことである。先ず自らの罪を告白することによって互いの関係を立て直すという努力を諦めたように見えるこの世界のことである。拳骨を振り上げて相手を脅すことが社会正義を実現する唯一の道であるかのように勘違いしている我々の世界のことである。地雷や劣化ウラン弾やクラスター爆弾やＡＢＣ兵器などの使用が人類の将来にどれほど致命的な影響を残すかについて全く想像力を欠いた我々の貧困な世界のことであり、憎しみと報復の絶望的な悪循環をどうしても断ち切ることができない我々の無力な、哀れな世界のことである。だが、神が創りたもうた世界は、いつまでもこの堕落した状態でいるわけではない。古い世界は「去って行く」！

そして、そこには「もはや海もなくなる」と言う。「海」とは、黙示録13章では、悪によってこの世界を支配する「獣」（悪しき支配者）が出てくる場所である。その海がなくなる。

そして、天と地の一切が新しくされ、「聖なる都、新しいエルサレムが、夫のために着飾った花嫁のように用意を整えて、……天から下って来る」（2）。エルサレムはもともと、神が人との間に結んだ契約を体現する美しい都であった。その美しい都が、歴史の経過の中で、しばしば争いの場所、流血の町となった。アッシリア、バビロニア、シリア、ローマといった周辺諸大国はエルサレムを占領し破壊した。現在、ユダヤ教、イスラム教、キリスト教という三大宗教はエルサレムを「聖地」と位置づけているが、正にその理由で争いの種になっている。だが、そういうこともなくなる。

「見よ、神の幕屋が人の間にあって、神が人と共に住み、人は神の民となる」（3）。「人」は、ギリシア語のテキストでは複数である。そして、黙示録が「人」（複数）という場合、ほとんどは「神に従わない人々」という意味で使われており、終末の裁きの対象である。だが、ここではそういう人々もまた神のものとなる、という。そのように読んではいけないだろうか？

人種や宗教の違いによって生み出される争いは過去のものとなる。すべての人が、神の民となる。自爆テロもなくなる。「神は自ら人（々）と共にいて、その神となり、彼らの目の涙をことごとくぬぐい取ってくださる。もはや（早すぎる非業の）死はなく、もはや悲しみも嘆きも労苦もない」（3—4）。

このような新しい天と地が来る。「希望の革命」（E・フロム）が起こる。その時が、必ず来る！それが我々の信仰なのである。

# 43　新しいエルサレム　21・9―21

ヨハネ黙示録21章1―8節は「新しい天と新しい地」について語っている。慰め深く、力強い言葉だ。9節以下では、その「新天新地」の様子がさらに具体的に「新しいエルサレム」という形で展開される。――七人の天使の中の一人がヨハネを大きな高い山の上に連れて行き、「聖なる都エルサレムが神のもとを離れて、天から下って来る」（10）のを見せる。

その都は、一辺が一万二千スタディオン（二千二百キロ）というから、ほぼ日本全土に匹敵するほどの広さだ。この都には「高い大きな城壁」と、十二の「門」と、その「土台」があり、それらはすべて宝石で飾られ（18―21）、「神の栄光に輝いていた」（11）。この描写には辻褄の合わないところがあるが、今は細かいことにはこだわらないことにしよう。要するにヨハネは、「新しいエルサレムは、イスラエルのすべての民が神の栄光の光に照らされて生きて行ける町だ」と言いたかったのであろう。

ところで、黙示録のこの箇所は、全体としてエゼキエル書40章以下の影響を受けている。だから、それと重ね合わせて読んでみたい。先ず、エゼキエル書とはいかなる書物か、大雑把に説明しよう。

紀元前五八七年に、南王国ユダはバビロニアのネブカドネツァル王によって滅ぼされ、美しいエルサレムの町は壮麗を極めた神殿もろとも破壊されて、主だった人々はバビロニアへ強制連行された。これを「バビロニア捕囚」と呼ぶ。エゼキエルは、その十年前、前五九八年の第一回捕囚の際、捕囚民と共にバビロニアに移住し、ケバル川のほとりで祭司・預言者として活動した。その彼が、捕囚となってから二十五年目に「主の手」によってイスラエルに連れて行かれる。そして、「非常に高い山の上に下ろされ」、そこから都エルサレムを、特に神殿の幻を見るのである（エゼキエル書40・1―2）。黙示録21章は、ここを下敷きとして書かれたと言われている。

バビロニアで捕囚として苦労していたエゼキエルと、ローマ帝国の迫害下でパトモス島に流され、前途に不安を感じていたヨハネ。この二人が新しいエルサレムの幻を見たということ。このことは、混迷の現代に生きる我々にも訴えるものを持っているのではないか。

エゼキエルは、エルサレムの陥落と神殿の破壊及び略奪という事実を経験した。これは、当時のユダヤ人にとっては、単なる敗戦以上の苦しみを意味した。何故なら、「自分たちが信じてきた神ヤハウェよりも、バビロニアの神々の方が力強く、頼りになるのではないか」という疑いと動揺が人々の間に広がったからである。自らの拠り所であった土台が揺らぐことほど辛いことはない。

私は十五歳の時に、それまで自分が拠り頼んできた思想的土台が根底から崩されるという経験をした。「日本は神の国だから決して負けない」と信じ込まされていた私は、敗戦の現実に直面し、また、指導者たちの退廃をこの目で見て、絶望し自信も失った。皆さんの中にも同じような経験をされた人がいるのではないか。

捕囚の時代のユダヤ人も、暗澹《あんたん》とした気持ちになったであろう。ダビデ王国が滅亡し、ソロモンの神殿も徹底的に破壊された。その結果として自分たちは「捕囚」とされ、神の恵みから切り離されたかのように遠く「死の陰の地」で生きねばならない。それ以上に先祖代々の神ヤハウェへの信頼を失ったということがやりきれない。エリー・ヴィーゼルはアウシュヴィッツ強制収容所に入れられたとき、「神は死んだ」と感じたという。同じような「喪失経験」である。

しかし、エゼキエルはこれら捕囚の人々と同じ所に身を置き、彼らと悩みや苦しみを共有しながら、たゆまずに「ヤハウェはあなたがたと共におられる」と語り続けたのであった。ヤハウェは破壊された神殿と共に滅びるような存在ではない。神は生きていて、捕囚のあなたがたの所へも来られ、そして守られる！

「ヤハウェ」という神名は、「ある」（ハーヤー）というbe動詞から来たと言われる。モーセがホレブの山で神の顕現に接したとき、神はご自身の名を明かして、「わたしはある。わたしはあるという者だ」（出エジプト記３・14）と言われた。ユダヤ教の哲学者マルチン・ブーバーはこれを解釈して、

「あなたがどこにいようとも、そこに神はおられる」という意味だと言ったが、その通りだ。

旧約の詩人も歌っているように、わたしが「天に登ろうとも、あなたはそこにいまし、陰府に身を横たえようとも、見よ、あなたはそこにいます。曙の翼を駆って海のかなたに行き着こうとも、あなたはそこにもいまし、御手をもってわたしを導き、右の御手をもってわたしをとらえてくださる」（詩編139・8―10）。正にこのことを、エゼキエルは捕囚民の中で語ったのだ。神は遠く離れた捕囚の地でも、あなたがたと共におられる！　この信仰が、「新しいエルサレム」の幻を生んだのであろう。

ローマ帝国の迫害の下にあったヨハネも同じである。彼も、不正不義、権謀術策、憎しみ、報復、流血など、もろもろの悪が支配する地上の都「大淫婦バビロン」（17―18章）、つまりローマの現実を見た。その中で前途にほとんど絶望した。これは地上世界の現実であって、その悲惨は今日に至るまで変わらない。

しかしヨハネは、エゼキエルと同じように、この古い世界はやがて必ず革《あらた》まると信じた。古い世界は消え去って、新しいエルサレムが来る。二人は、この幻を見たのだ。五十年前にキング牧師が「私には夢がある」と言ったように。この新しいエルサレムは、人間の力や知恵で実現できるようなものではない。純潔な花嫁のような姿で「天から下って来る」、つまり、神の憐れみがもたらす新しい現実なのである。

# 44　光の中を歩く

21・22―22・5

我々の世界は色々な点で進歩もしているが、悪くなっている面もある。この事実をどう考えればよいのだろうか。ローマクラブの報告書『第一次地球革命』（一九九二年）の分析は大いに参考になる。最初の報告書が世に出てから既に二十年以上も経過しているから、個々のデータはやや古くなっているが、大筋では今日も立派に通用する。その要点を私なりに整理して紹介してみたい。

この報告書は先ずこう指摘する。現在、地球上には「革命」ともいうべき重大な変化が起こっている。それには良い面もあるが、望ましくない面もあって先行きは不透明だ。そのために、多くの人は不安になっている。

その重大な変化の第一は、何と言っても一九九〇年の冷戦終結である。これは非常に望ましい変化であった。全世界の人々が大喜びした。しかし他方、それによって巨大な権力がアメリカに集中するという結果を招いたし、アジアやアフリカ、東欧などの各地では少数民族の目覚めが促され、民族紛争が頻発するという困った事態も惹き起こした。良い面ばかりではなかったのである。

次にこの報告書は先進技術の進歩を挙げている。ハイテクが人類に多大の利便を与えたことは疑いようがないが、他方、それは戦争・テロ・犯罪のためにも使われるようになり、そのために世界の様相は一変した。二〇〇一年に起こった「9・11同時多発テロ」とその後に起こったイラク戦争は、その実例である。

地球環境について言えば、人々の意識の向上や先進技術の進歩が問題解決の可能性を示してはいるものの、抜本的な解決までは行っていないし、むしろ、環境破壊は「越えてはならぬ一線を既に越えてしまったかもしれない」と、報告書は不気味な指摘をしている。

この他に報告書は、市場経済、国家間の相互依存、人口の爆発的な増加、都市の拡大、開発といった諸問題を取り上げて、要するに人類は今や容易ならぬ事態に直面しているということを明らかにした後で、結局、一番大切なことは「新しい価値観」を確立することだと言っている。古い価値観である「自己中心主義」（エゴイズム）に相変わらず囚われている限り、危機を回避することは不可能である。人類はエゴイズムを脱却しなければならない。結局、心の問題に行き着く、というのである。

そして、正にこの点で、我々の世界はあまり進歩していないように見える。圧倒的な軍事力は局地戦では勝利しても、根本的な問題は解決できない。終わりのない憎悪と爆弾テロと破壊活動を触発するだけである。一体、この世界はどこへ向かうのか？　不安は尽きない。

第一世紀末のキリスト教徒たちも、似たような状況の中にあった。彼らは、ローマ帝国の支配下で理不尽な迫害を受け、さまざまな苦しみを強いられていたからである。世界はこれからどうなるのか。全く先が見えない。

だが、ヨハネはそのような状況の中で、渾身《こんしん》の力を込めて、世界はこのまま滅びるのではない、と宣言したのである。それがヨハネ黙示録の結論である。最後には神が「万物を新しくする」(21・5)時が来る！「新しい天と新しい地」が来る。これは強がりでも夢物語でもない。信仰における現実なのである。

この箇所でヨハネは、「新しいエルサレム」の様子を詳しく描写するが、それは極めて興味深い。先ず、そこには神殿がない。神殿とは、問題の多い世界の中に確保された神の「前進基地」と言ってもいいと思うが、世界全体が完全に神の支配下に入ったとき、「前進基地」はもう必要がない。「全能者である神、主と小羊とが都の神殿だからである」(22)。

また、そこには「太陽も月も、必要でない」(23)。神の救いの光がその都をくまなく照らしているからである。すべての人は暗黒の恐怖から解放される。従って、「都の門は、一日中決して閉ざされない。そこには夜がないからである」(25)。そしてこの都は、「諸国の民」(26)、つまり、外国人でも自由に出入りすることができる開かれた場所になる。ただし、「汚れた者、忌まわしいことと偽りを行う者はだれ一人、決して都に入れない」(27)。つまり、そこには退廃も犯罪もなくなり、神の義が支配する。

また、ヨハネは「神と小羊の玉座から流れ出て、水晶のように輝く命の水の川」(22・1)があると言う。これは、エゼキエル書47章7—12節に基づく記述だ。この川は多くの植物や魚を育み、人間の命を支える命の水である。そのほとりには「命の木があって、……毎月実をみのらせ……その木の葉は諸国の民の病を治す」(2)。

要するに、「新しいエルサレム」では、不安ではなく平安が、暗黒の恐れではなく明るい光の喜びが、死ではなく命が支配する。世界中の人々、殊に子供たちは、地雷で脚を吹き飛ばされる恐怖から解放され、安心してきれいな水をいつでも飲めるようになる。食べ物や薬もたっぷりあり、国籍を問わず、すべての民が分け隔てなく人間らしい生活を享受しながら輝く救いの光の中を歩くことができるようになる。これは、聖書の言う「シャローム」に他ならない。歴史の最後には、そのような都が、そのような「シャローム」が実現する！　目の前の現実がどれほど暗くても、ヨハネはこの約束の光の中で生きたのであった。我々もこの光の中を歩こう。

# 45　キリストの再臨　22・6—13

ヨハネ黙示録は終わりに近づいている。天使は、「これらの言葉は（つまり、これまでに語られたすべての言葉は）信頼でき、また真実である」（6）と言って全体を締めくくる。そして、これらの言葉が「真実である」のは、「預言者たちの霊感の神、主が」語らせた言葉だからだ、と言う。

だが、ここには微妙な問題がある。ヒトラーのようなカリスマ的な政治家や、麻原彰晃のようなカルト宗教の教祖も、「自分たちの言葉が霊感によっていて絶対に真実である」と主張したではないか。ヨハネは、どこが彼らと違うのか？

黙示録第1章の、「イエス・キリストの黙示」（1）という言葉を思い起こしたい。

ヨハネは、いわゆる「カリスマ的な」指導者たちのように自分の思想の正しさを誇ろうとしたり、自らそれに絶対の権威を与えようとしたりはしない。彼はそのような自己顕示欲とは無縁である。彼はただイエス・キリストを、つまり「わたしたちを愛し、御自分の血によって罪から解放してくださった方」（5）だけを証しする。彼はイエスの愛に打たれ、「互いに愛し合いなさい」という戒めに従って生きようとし、それを同信の仲間に勧める。「イエスと結ばれて、その苦難、支配、忍耐にあずかっている」（9）とは、そういう意味だ。黙示録の内容が真実だというのは、ただ愛の真理を体現されたイエス・キリストを証ししているからであって、他に理由はない。

さて、第22章について考えよう。ここでヨハネは、「見よ、わたしはすぐに来る」（7）と告げる。「わたし」とは、イエス・キリストを指す。キリストがすぐ来る、再臨する、というのである。

黙示録の1章で、イエス・キリストは「今おられ、かつておられ、やがて来られる方」（4）として示された。同じ意味で「アルファであり、オメガである」（8）と言われ、「その方が雲に乗って来られる」（7）とも言われた。この思想は黙示録を一貫している。「わたしは、すぐに来る」という言い方は3章11節に現れ、22章では7節と12節に現れ、そして「然り、わたしはすぐに来る」（20）という言葉でこの文書を締めくくる。ヨハネ黙示録のキーワードが「来る」という言葉であることは明らかだ。

イエス・キリストが来る。私たちが「努力を重ねて上昇して行く」というのではない。彼が私たちの所へ来る。あなたの所へ来る。

普通、多くの宗教では、人間が祈りや修行によって、あるいは戒めを守ることによって、より高い境地を目指す。聖書では、「律法主義」がそうであろう。

典型的なファリサイ派であったパウロが、「熱心さの点では教会の迫害者、律法の義については非のうちどころのない者でした」（フィリピ３・６）と誇っているように、律法主義者にとって決定的に重要なのは「律法の義」を追い求める熱心さであった。だからそれを追求した。その場合、生まれや家柄もどうでもいいことではない。「わたしは生まれて八日目に割礼を受け、イスラエルの民に属し、ベニヤミン族の出身で、ヘブライ人の中のヘブライ人です」（同３・５）とある通りである。つまり、救いの条件は人間の側にあり、その条件を満たすときにだけ、人は救われる。

しかし、パウロはこの「律法主義」に挫折したのである。ダマスコ途上で「なぜ、わたしを迫害するのか」（使徒９・４）というイエスの声を聞いたとき、彼は地に倒れたという。あのイエスの声は、家柄を誇り、誰にも負けないくらい熱心に「律法の義」を追い求めたパウロの生き方に対する根本的な問いかけであった。なぜ、わたしを迫害するのか？　あなたの「義」とはそのようなものか？　ただ人を愛し、互いに愛し合って生きよと教えるわたしを迫害するのが、あなたの「義」なのか？　彼はこの問いに根底から震撼《しんかん》させられた。目が見えなくなり、三日間、飲み食いもできなくなった。

だが、使徒言行録に、「突然、天からの光が彼の周りを照らした」（９・３）と言われているのは象徴的である。彼は自分の努力によって何かの悟りに達したのではない。突然、天からの光が来て、彼を照らした。イエスの方から彼のところに来たのだ。そのことによって、彼は新しくなる。彼は、

「律法から生じる自分の義ではなく、……信仰に基づいて神から与えられる義」（フィリピ3・9）に生きるように変えられた。

カール・バルトという神学者は、第一次世界大戦が始まったとき、ヨーロッパの多くの知識人と同じように、人間に絶望した。ギリシア・ローマ以来の豊かな文化的伝統を誇る「キリスト教的ヨーロッパ」が、近代科学技術の粋を集めて開発した兵器（機関銃、戦車、潜水艦、飛行機、毒ガス等々）を投入して血で血を洗う大戦争を繰り広げたのである。当時バルトはスイスの片田舎で牧師をしていたが、この状況に直面して説教ができなくなった。その中で、彼はひたすら光を求めて聖書に沈潜する。特に「ローマ書」である。そして、光は向こうから射し込んで来た。

彼はロシアの文芸評論家メレジコフスキーの言葉を引用してこう語る。――信仰者は高い山の頂上に似ている。肥沃な土壌、太陽の光と温もり、きれいな水、美しい花、豊かな実りで満ちた麓とは違って、高い山の上には何もない。激しい寒風が吹きすさぶ中でわずかばかりの高山植物が岩肌の苔にしがみつくようにして生きている。だが、夜が明けて東の空から太陽が昇るとき、真っ先に光を受けるのは、この高い山の頂上なのだ、と。「見よ、わたしはすぐに来る」。このことを信じよう。

# 46 主イエスよ、来てください　22・14―21

キリストの再臨については、これまでも何度か暗示されていたが、最後の22章に入ると極めてはっきりと、しかも繰り返し強調される。「見よ、わたしはすぐに来る」(7、12)。そして、この約束への応答もまた、力強く繰り返される。「来てください」(17)。ヨハネ黙示録のクライマックスである。

前項でも述べたように、多くの宗教においては祈りや修行によって、また、戒律を守ることによってより高い境地に「達する」ことを目指す。しかし、聖書の信仰においては救いの条件は人間の側にはない。もちろん、人間の努力を否定してはいないし、それにも深い意味があることを認めてはいるが、最終的には、救いは「我々が上昇して行く」ことによって達成されるのではなく、「主イエスが我々の所へ来る」ことによって与えられる。彼が来る！　我々の所へ、あなたがた一人一人の所へ来る。この信仰が、ヨハネ黙示録全体を、そして聖書六十六巻を締めくくるのである。『然り、わたしはすぐに来る。』アーメン、主イエスよ、来てください」(20)。

さて、この信仰は、現代の我々にとっても重要な意味を持っている。そのことを明らかにするために、ここで「歴史をどう見るか」という問題を取り上げたい。

十八、十九世紀の西洋では、科学・技術が飛躍的に発達したこともあって、「世界の歴史は進歩する」という楽観的な歴史観が支配していた。しかし二十世紀に入って第一次世界大戦が起こると、正にその科学・技術の「進歩」がヨーロッパに破滅的な結果を招いたという認識から、「西洋の没落」(シュペングラー)に代表されるような悲観的な歴史観が優勢になった。これは西洋に限らない。

では、二十一世紀に入った今はどうか? 現代を性格づけるのに、よく「アウシュヴィッツ以後」とか「ヒロシマ以後」という表現が使われる。人類はあのように非人間的な罪を平気で犯した。また、その後も同じようなこと(ベトナム戦争、ポル・ポトによる大虐殺等々)を今に至るまで繰り返して来た。そうである以上、もはや将来に楽観的な希望を持つことはできないという意味である。ある人は、「アウシュヴィッツ以後、もはや詩は書けない」と言ったし、ゲオルギューという作家は『二十五時』という作品を書いた。——時計の針が二十四時まで来ると〇時に戻るように、今までの世界にはどん底まで落ちても元へ戻る復元力があったが、今や世界の時計は、元には戻れない。針は二十五時を指している——。

泥沼のようなパレスチナの戦い、アメリカの強引な一極支配、それが誘発するテロ、それを根絶するためと称する戦争、等々。世界の希望を奪うような暗い出来事は跡を絶たない。現代は、底流に暗い悲観論が流れている時代である。

だが他方、「暗い面ばかりではない」という見方もある。――「冷戦」は終わった。ベルリンの壁は崩壊した。ヨーロッパには「共生」を現実のものとする「ヨーロッパ連合」（ＥＵ）ができ、その影響は徐々にアジアにも及びつつある。今は「冷戦後」の時代だ。余り悲観的になることもない、という見方である。

このように、現代は悲観論と楽観論が交錯している時代である。しかし、ただ「交錯している」と言うだけでは不十分だ。その二つが「どのような関係にあるか」を明らかにすることが大切であって、黙示録はそのことを示唆していると思われる。

イエス・キリストは、「わたしはアルファであり、オメガである。……初めであり、終わりである」（22・13）と言われた。歴史の初めにも終わりにもイエス・キリストが立っている。初めから終わりまで、彼が我々の歴史を支えている、というのである。

「イエスが歴史の初めにいた」というのは、この世界が偶然に、また無意味に始まったのではない、ということであろう。神が世界をお造りになったとき「光あれ」（創世記１・３）と言われた。「こうして、光があった」。天地万物は偶然に、あるいは無意味に存在するのではない。神の意志によって造られたのであり、世界の歴史も神の意志によって始まったのだ。

では、神の意志とは何か？「愛」である。歴史は、イエス・キリストに現れたような神の大いなる愛によって始まったのである。ヨハネ福音書の冒頭に、「初めに言があった。……万物は言によって成った」（1・1―3）とあるのもその意味であり、イエスが「アルファである」というのもそのことを意味している。

我々の世界は、無意味に、あるいは偶然に存在しているのではない。今は、確かにひどい状態だが、たとえそうでも、世界は神の愛によって造られたのである。

我々の世界は、神の愛によって始まった。そして、歴史は神の愛が完成されるという目標に向かって導かれる。その中間においてひどい堕落が起こっているとしても、アルファであり、オメガである主イエスがおられる以上、世界は滅びていいはずがあろうか？　神は、「失われたものを尋ね求める（エゼキエル書34・16）神である。

ヨハネ黙示録は、我々の世界の歴史をこのように見ることを教えている。我々は単純な楽観論にも、一方的な悲観論にもくみしない。「主イエスよ、来てください」と祈りつつ歩みを進めるのである。

村上 伸

# ヨハネの黙示録を読もう

2014年4月25日　初版発行


発行　日本キリスト教団出版局
169-0051
東京都新宿区西早稲田2丁目3の18
電話・営業：03(3204)0422
編集：03(3204)0424
http://bp-uccj.jp

印刷・製本　三松堂印刷

Printed in Japan

本書は前記奥付に表示した書籍を底本とする復刻版です。

村上《むらかみ》　伸《ひろし》

1930年福島県生まれ。

東京神学大学で神学を学んだ後、日本基督教団安城教会、岡崎教会で牧師を務める。1966〜68年、ドイツに留学。1974〜78年、南西ドイツ福音主義教会世界宣教部研究主事。1978〜97年、東京女子大学教授。1997〜2010年、代々木上原教会牧師。2017年逝去。

著書に、『十戒に学ぶ』『ひかりをかかげて　ディートリッヒ・ボンヘッファー』『良き力に守られて　一牧師の歩んだ道』（以上、日本キリスト教団出版局）、『ボンヘッファー紀行』（新教出版社）ほか多数。


ヨハネの黙示録を読もう（オンデマンド版）

2021年11月30日　発行


著者　村上　伸

発行　日本キリスト教団出版局

〒169-0051　東京都新宿区西早稲田2の3の18
電話・営業03（3204）0422　編集03（3204）0424
https://bp-uccj.jp

印刷・製本　デジタル・パブリッシングサービス

ISBN978-4-8184-5125-4　C0016　日キ販
Printed in Japan